FRANK LLOYD WRIGHT

a FIESOLE

cento anni dopo

1910|2010

FRANK LLOYD WRIGHT in FIESOLE

one hundred years later 1910|2010

Curated by Roberta Bencini
e Paolo Bulletti

FROM THE HILLS OF FLORENCE
TO THE "RESPLENDENT HILL"

FRANK LLOYD WRIGHT
a FIESOLE
cento anni dopo
1910|2010

A cura di Roberta Bencini
e Paolo Bulletti

DALLE COLLINE DI FIRENZE
AL "COLLE SPLENDENTE"

GIUNTI

Frank Lloyd Wright a Fiesole 100 anni dopo. 1910-2010
Dalle colline di Firenze al "colle splendente"

Frank Lloyd Wright in Fiesole 100 years later. 1910-2010
From the hills of Florence to the "resplendent hill"

Fiesole, Antiquarium Costantini
17 giugno - 30 agosto, 2010
June 17 - August 30, 2010

Promotori
Promoters
Rotary Club Fiesole
Inner Wheel Firenze Medicea
Consolato Generale degli Stati Uniti a Firenze
The American Consulate General in Florence

Organizzazione e Produzione
Organization and Production
Comune di Fiesole
Comune di Firenze
Provincia di Firenze

Con la collaborazione di
With the collaboration of
F.L.Wright Preservation, Taliesin, Wisconsin
F.L.Wright Foundation, Scottsdale, Arizona
Fondazione Michelucci, Fiesole

Cura della mostra
Exhibition curator
Roberta Bencini

Coordinamento organizzativo
Organization management
Massimo Pierattelli
Comune di Fiesole. Servizio Musei Archivio ed Attività Culturali

Cura del catalogo
Catalogue curator
Paolo Bulletti

Responsabile editoriale
Editorial manager
Claudio Pescio

Contributi critici
Contributors
Arch. Roberta Bencini
Arch. Antonio Bugatti
Presidente Ordine Architetti Firenze
Prof. Arch. Paolo Bulletti
Texas A&M University
Prof. Arch. Fabio Capanni
Università di Firenze
Prof. Arch. Marco Dezzi Bardeschi
Politecnico di Milano
Prof.ssa Veronica Ferretti
Dott. Corrado Marcetti
Presidente Fondazione Michelucci
Arch. Massimo Pierattelli
Prof. Arch. Gianni Pettena
Università di Firenze
Prof. Sidney Robinson
F. L. W. School of architecture, Taliesin
Prof. Arch. Ulisse Tramonti
Università di Firenze

Progetto grafico
Graphic design
Federico Cagnucci

Fotografie
Photographs
F.L.W. Foundation
Massimo Novelli
Massimo Pierattelli
Wisconsin Historical Society

Rendering
Arch. Riccardo Renzi

Traduzioni
Translations
Alessandra Coli
Rebecca Milner
Michelle Thomson Brogini

Allestimento
Exhibition design
Ordine degli Architetti Firenze

Ufficio Stampa
Press office
Pierluigi Bacci & Associati
Comune di Fiesole

Promozione pubblicità
Promotion
Firenze Magazine
Firenze Spettacolo
Radio Toscana
The Florentine

Main sponsor
Sercom Firenze spa
Volkswagen Group Firenze

Patrocinio
Patronage
Regione Toscana
Associazione Toscana Usa
Tuscan American Association

Ringraziamenti
Thanks to
Anthony Alofsin
Carol Bishop
Cassina – Poltrone Frau Group
Mary Ellen Countryman,
Console Generale degli Stati Uniti a Firenze
United States Consul General in Florence
Philippe Daverio
Carol Johnson, F.L.W. Preservation
Margo Stipe, F.L.W. Foundation
Giovanni Palumbo
Mauro Piattoli
Enrico Poli
Valeria Rondoni
Minello Sani
Luigi Ulivieri
Eric Lloyd Wright

www.giunti.it

Via Bolognese, 165 - 50139 Firenze - Italia
Via Dante, 4 - 20121 Milano - Italia
Prima edizione: giugno 2010

Ristampa	Anno
5 4 3 2 1	2013 2012 2011 2010

Stampato presso Giunti Industrie Grafiche S.p.A. - Stabilimento di Prato

FABIO INCATASCIATO

Sindaco di Fiesole
Mayor of Fiesole

PAOLO BECATTINI

Assessore alla Cultura
Councillor for Arts and Culture Fiesole

Cento anni fa Frank Lloyd Wright scelse la nostra città e "una piccola villa color crema" di via Verdi per una fuga che avrebbe cambiato, negli anni successivi, il modo di interpretare l'architettura e il suo rapporto con l'ambiente e il paesaggio. Troppo intrigante e troppo fiesolano per lasciarci sfuggire questa occasione.
Ecco quindi l'idea dell'esposizione per far conoscere al grande pubblico progetti e documenti, alcuni per la prima volta esposti in Italia, e meditare sull'influenza che il soggiorno fiesolano ha prodotto sull'opera successiva dell'architetto.
Infatti, dai disegni che realizzò durante il suo soggiorno fiesolano e prendendo spunto dalla configurazione planimetrica del villino stesso, Wright progettò e realizzò la residenza di Taliesin, attualmente sede della Frank Lloyd Wright Foundation. L'edificio sorge, appunto, in posizione dominante, dove l'architettura si adatta alla conformazione del terreno e viceversa. Il linguaggio di Frank Lloyd Wright, inconfondibile e diverso, è stato capace di rompere gli schemi consueti e di illustrare come intendesse la costruzione nel contesto collinare, il rapporto fra l'uomo e lo spazio architettonico e fra lo spazio architettonico e la natura, considerata un riferimento fondamentale.
Questa mostra chiarisce ancora una volta come Fiesole non sia soltanto il luogo dell'archeologia, delle splendide ville del Rinascimento, dei panorami mozzafiato, tutte cose che appartengono ormai all'immaginario collettivo, ma anche una città, un territorio, dove alcuni fra i più importanti architetti del Novecento hanno esercitato la loro arte, trovando uno spazio che gli ha permesso di esprimere il loro gusto, la loro genialità, la loro arte, essendo inseriti nel modo migliore nel paesaggio meraviglioso che tutti conosciamo.
Partire quindi da una mostra, da un grande personaggio e sviluppare una serie di iniziative che hanno l'obbiettivo di qualificare Fiesole come un osservatorio permanente sul paesaggio e l'ambiente, dove poter far discutere e dialogare i grandi maestri del passato con la modernità del futuro.
Fiesole, in effetti, è da sempre prima di tutto un riferimento alto, di cultura e di pensiero, che stimola e incuriosisce. Per noi che la viviamo e la amministriamo non sempre questi percorsi sono così chiari, ed è importante, come questo microcosmo aperto al mondo sia un luogo prezioso e così diverso.

100 years ago Frank Lloyd Wright chose our hilltop city and its "tiny cream colored villa" on Via Verdi as his retreat in Europe. This "sojourn" would eventually have a drastic change towards the approach in which architecture interacts with the environment and landscape.
This anniversary is an occasion far too intriguing and closely linked to Fiesole to let pass.
Hence the idea of this exhibition to reveal for the first time to the Italian public Wright's projects and documents and to consider the influence of his time in Fiesole and its impact on his future projects.
In fact, from the drawings realized during his stay in Fiesole and the inspiration from the villa's layout, Wright designed and constructed his residence in Taliesin, the actual headquarters of the Frank Lloyd Wright Foundation today. Wrights famous edifice rises to a dominating position into which the architecture adapts to the landscape and vice-versa, similar to the villa in Fiesole. Unmistakable and distinct, Frank Lloyd Wrights' terminology was capable of breaking the existing rules and illustrating the foundations of building within a hillside context; the relationship between man and architectural space and between the architectural space and nature.
This exhibition establishes once again, that Fiesole is not only about archeology, renaissance villas and panoramic views. This array of images belongs to both the townspeople and tourists. Fiesole is also a city, a territory, where some of the best architects of the 19th century have worked, leaving their mark within its spaces, by expressing their predilections, their brilliance and their art.
We draw on this exhibition, this great persona, and expand on a series of initiatives, to communicate the intent in defining Fiesole as a permanent observatory on landscapes and environment. A place where one can discuss the works of the past's great masters and link their relevance towards the future.
Fiesole has always been an important model of culture and intellect. For those of us who live it and those that govern it the path isn't always so straight forward and it is important that this small community that has been opened to the world, remains a place of value and diversity.

Andrea Barducci

Presidente della
Provincia di Firenze
President of
the Province of Firenze

Inizio col raccontare che in radio mi è capitato di sentire la notizia di un'esperienza di bioarchitettura realizzata in un paesino del Mezzogiorno con il contributo di alcuni immigrati extracomunitari. Si tratta, se ho capito bene, di un orto che è stato allestito sul terrazzo di una palazzina nell'ambito di un progetto di integrazione degli immigrati irregolari.
Ebbene questa notizia mi ha colpito sotto tanti punti di vista: il primo è lo strumento mediatico che l'ha diffusa, cioè la radio, che solitamente non è uno di quelli che va per la maggiore; il secondo è l'orario in cui è stata data, quando il numero degli ascoltatori non è poi molto alto, cioè molto presto al mattino (chissà perché...); il terzo è il coinvolgimento di un gruppo di giovani extracomunitari che, come del resto una buona parte di coloro che entrano in Italia, sono arrivati dopo aver conseguito nel loro Paese non il "patentino" di pericolosi criminali, bensì... un titolo di studio (in questo caso la laurea in ingegneria, in informatica...), e che da noi trovano una realtà molto diversa da quello che la televisione (e qui entra in gioco un altro mass media...) dipinge, ma comunque normalmente si adattano a fare qualsiasi cosa (lavoro nei campi, assistenza agli anziani...) nella fiduciosa attesa di potersi realizzare secondo le loro effettive potenzialità; il quarto è che ci troviamo in un paese del Sud, che notoriamente (?!) è la parte di Italia più arretrata...; il quinto, finalmente, è che hanno realizzato uno dei tanti modelli innovativi di architettura sostenibile che già da anni si vanno affermando, almeno sui libri e nelle intenzioni, ma che stentano a trovare sostenitori e "traduttori" nelle nostre piccole e grandi realtà territoriali.
Vi domandate cosa c'entra tutto questo con la mostra dedicata a Frank Lloyd Wright nella città di Fiesole? C'entra, c'entra eccome! Almeno perché questo straordinario architetto, che la nostra terra ha avuto l'onore di ospitare per un breve ma intenso periodo, ha dato testimonianza di un'eccezionale sensibilità verso l'ambiente fatto di natura, di persone, di profumi, di colori, lasciando un'eredità di costruzioni, di progetti e di scritti, che non solo si pongono alle origini della cosiddetta "Architettura Organica" (tra gli esponenti a noi più vicini c'è Giovanni Michelucci), ma che soprattutto possono dare una preziosa ispirazione ad un rinnovamento profondo dell'approccio che tutti - istituzioni, imprese e cittadini singoli e associati - dobbiamo avere in questi tempi di grave crisi, superando definitivamente i soliti cliché, andando oltre i vecchi schemi mentali di cui siamo spesso prigionieri, sostituendo ai precedenti il nuovo e autentico interesse di armonizzare gli uomini e le loro opere e attività sia con tutto l'ambiente che li circonda, sia tra di loro.
Chiedo scusa se ho guardato meno a ieri e più ad oggi ed a domani, ma il passato è stato fatto dagli altri (a volte egregiamente, come da parte dell'architetto Lloyd Wright), ma il presente ed il futuro abbiamo il dovere di costruirlo noi ed i nostri figli.

I'll start off by telling a story that I happened to hear by chance on the radio about news of an example of organic architecture carried out in a small village in Southern Italy with the help of a few illegal immigrants.
If I've understood, the news was about a vegetable garden planted on the roof top of a building as part of a project concerning the integration of illegal immigrants. This bit of news struck me for various reasons; the first being the medium in which the story was told, i.e. the radio. Unfortunately, this isn't the medium that attracts the majority of the population these days. Secondly, the fact that it was aired very early in the morning at an hour not considered 'peak' time for radio listeners. The third point being that many of these immigrants have arrived from their own country having graduated in fields such as engineering and information technology, and not from a life of crime. Upon arrival in Italy, the reality is completely different to what they had been made to believe by the more popular mass media, television. However, in spite of this, they adapt to their new situation by accepting any job (usually menial) such as farm laborers, dishwashers and home-helps to the elderly in the hope that they will eventually be able to realize their true potential. Fourthly, this project takes place in this small village in Southern Italy which is notoriously considered to be well behind the rest of the country in regards to development. The fifth and final point is that they have actually realized one of the many innovative and sustainable architectural models, which up until now have mostly only ever been consolidated in books and in theory, and rarely executed in real life. You may ask what this may have to do with an exhibition dedicated to Frank Lloyd Wright in the city of Fiesole. Well, there is actually quite a significant connection. The reason is that this extraordinary architect that our city had the honor of hosting for a brief but intense period, has left his continuing legacy of his exceptional sensitivity towards the environment, considering nature, people, scents and colors. He left us a legacy of construction, projects and writings that not only put itself at the origins of the 'Organic Architecture' approach but that above all leaves behind a valuable inspiration to seriously renew the approach that everybody – institutions, firms, individual citizens and associations, must adopt in these times of grave crisis. Closer to home, the interpreter of this movement is Giovanni Michelucci. This surpasses the usual clichés, goes beyond the typical ideas in which we are often held prisoner, and substitutes the precedent with the idea that men and their works and activities should harmonize with both themselves and their surrounding environment. I apologize if I have concentrated less on the past and more on the future, however, the past has already been realized by others, often in a distinguishable way such as that by Frank Lloyd Wright. It is the present and the future that we must now concentrate on building for ourselves and our children.

MATTEO RENZI
Sindaco di Firenze
Mayor of Firenze

C'è una corrispondenza forte tra il lavoro di Frank Lloyd Wright e gli scenari fiorentini. Una reciprocità che va ben oltre i disegni di Wright realizzati durante il suo soggiorno, o dell'apprezzamento del Maestro per la nostra terra. Riguarda piuttosto l'essenza stessa del lavoro di Wright, il suo sentire, la sua estetica. Quello che infatti l'architetto americano ha ideato e realizzato sulla base dei principi dell'architettura organica - ovvero la concezione e costruzione di un edificio che sia in armonia e stretta connessione con l'uomo e l'ambiente circostante, in equilibrio con esso e anzi parte integrante del panorama in cui si inserisce - è esattamente la caratteristica fondante dei nostri paesaggi. Quello che per Wright era sentito come una necessità dell'architettura moderna, per noi è la naturale concezione dello sguardo, è ciò che abbiamo sotto gli occhi da quando siamo nati. La piacevolezza delle colline toscane su cui sono disseminate ville eleganti, le prospettive in cui le costruzioni non spiccano mai ma sono gradevolmente inserite nel rispetto delle proporzioni, la compenetrazione tra natura ed edilizia sono qualcosa di inscritto nel dna della nostra terra. L'equilibrio delle parti che Wright ha studiato e creato con le sue architetture, rispetto a se stesse e all'ambiente da cui sembrano scaturire naturalmente, è un'acquisizione intellettuale che nella provincia di Firenze si fa realtà emotiva prima ancora che conquista tecnica.

Un'eredità importante che abbiamo ricevuto dai nostri avi e che deve rimane come fondamentale linea guida per le concezioni urbanistiche future. Così come il camino è sempre al centro delle architetture di Wright in quanto simbolo dello stare insieme, anche noi vogliamo che il caposaldo delle nostre progettazioni urbanistiche siano la piazza, il giardino, simboli – e non solo – della vita comune. La condivisione che è alla base del vivere civile ha ispirato Wright proprio come oggi continua ad essere il nostro principio guida. Nel tracciare le linee future delle nostre città guardiamo innanzitutto al ruolo sociale che vogliamo dare loro, partendo sempre dall'uomo e dal suo "ben-essere" per definire l'arte e metterla al suo servizio, mai il contrario. E questo è anche il messaggio che ereditiamo dall'architetto americano.

La mostra di Wright è dunque una straordinaria occasione di riflessione sul lavoro di uno dei più grandi architetti di tutti i tempi e contemporaneamente uno stimolo a cogliere nel nostro passato i giusti stimoli per proseguire lungo un tracciato di eccellenza, di bellezza, di completezza, sia tecnica che politica.

There is a strong link between the work of Frank Lloyd Wright and the Florentine landscape. A reciprocal relationship in which we benefit from Wright's designs that were realized during his stay here in Florence and he (the 'maestro') was inspired from his appreciation of our land. Regard the essence of Wright's work, his feelings and his aesthetics. These factors are in fact those which the American architect has created and realized on the base principles of organic architecture. Organic architecture is the conception and construction of a building that is in harmony and closely related to man and his surrounding environment. The building should be in balance with them and better still, be integrated into the background in which it sits. This is exactly the founding characteristic of our landscape. For us, it is the natural concept of the images that we see everyday and something that we take for granted, whereas for Wright, he felt it was a necessity of modern architecture. The pleasantness of the Tuscan hills with their interspersed elegant villas that blend into the background, the perspective in which these villas are pleasantly inset respecting the environment around them and the fusion between the buildings and nature, is something that is written into the DNA of our land. The balance that Wright studied and created with his architecture, emphasizing respect to his designs and the environment and giving the idea that the buildings seem to have sprung up naturally, is an intellectual acquisition that in the province of Florence becomes more an emotional reality than a technical triumph. An important legacy passed down from our ancestors is that there must be fundamental guidelines in urban planning. An example of this in Wright's architecture is how the fireplace always features at the centre of his plans, symbolizing 'togetherness'. We also want that the main point in our urban planning relates to the life as a community with our symbols being the piazza (town square), parks etc.

The coming together that is at the base of civil life significantly inspired Wright and today continues to be our principal guide. In the drawing up of future city plans, we first of all look at the social role we want to give to them, always starting off with man and his wellbeing to define the art and put it to his use, never the contrary. This too is the message that we inherit from the American architect.

The Wright exhibition is therefore an extraordinary occasion to reflect on the work of one of the greatest architects of all time whilst at the at the same time being a motivation to pick out from our past, the right stimuli to set us on the true path of excellence, beauty and completeness both technically and politically.

Mary Ellen Countryman

Console Generale
degli Stati Uniti a Firenze
United States Consul General
in Firenze

Uno degli aspetti che colpisce maggiormente arrivando in Toscana è questo profondo legame che unisce il mio paese a questa terra. Qui esiste, più che altrove, uno straordinario interesse reciproco per le rispettive culture che si manifesta nei modi più diversi, con una vivacità di scambi a livello culturale come ne ho visti pochi in tanti anni di carriera diplomatica.

Di tali scambi fa parte anche la mostra su Frank Lloyd Wright, abilmente organizzata dal Rotary Fiesole e dall'Inner Wheel Firenze Medicea, che con questo evento hanno voluto avvicinare l'architettura moderna americana al pubblico italiano. E hanno scelto di far conoscere uno degli americani forse tra i più celebri nel campo, il quale come molti altri concittadini, artisti e non, ha avuto modo di visitare e soggiornare in questi luoghi, che lasciano sempre nei visitatori un'impronta indelebile: un ricordo, un'ispirazione, o semplicemente un'emozione.

Frank Lloyd Wright è una figura centrale dell'architettura di fine Ottocento e dei primi del Novecento in America: fondatore dell'architettura organica, grazie ad essa diventa il precursore dell'architettura contemporanea. La sua ricerca dell'armonia tra uomo e natura, tra ambiente costruito e quello naturale, è ben nota agli esperti del settore. Ma questa mostra ha il pregio di rendere alla portata e alla conoscenza di noi tutti l'arte di Wright, e ci presenta un'America moderna e uno degli tratti maggiormente apprezzati del Paese che ho il privilegio di rappresentare.

Il soggiorno a Fiesole nel 1910 è considerato a giusto titolo uno spartiacque nella vita dell'architetto americano che in patria aveva già raggiunto la notorietà grazie ai suoi lavori. In questo luogo ricco di storia medievale Wright trovò quel rifugio di cui ogni artista ha bisogno per rinnovare il proprio spirito creativo. L'influenza del paesaggio e dell'architettura toscana rimane fondamentale per capire alcuni aspetti del suo stile negli anni che seguirono.

L'America deve molto all'Italia, per noi fonte di ispirazione e di ammirazione, grazie al suo inestimabile patrimonio artistico e umano. Questa mostra su Frank Lloyd Wright – una delle figure più note negli Stati Uniti – rappresenta per noi l'opportunità di aprire una finestra su uno aspetti più belli della nostra cultura.

Upon arriving in Tuscany, one of the most striking discoveries is that of the deep ties that connect my country to this place. Here, more than anywhere else, there is an extraordinary reciprocal interest in one another's culture, something that is evident on a great many levels. It is most visible, perhaps, in the remarkably rich cultural exchanges, like nothing I have ever encountered in my extensive diplomatic career.

Masterfully organized by the Rotary Club of Fiesole and the Inner Wheel Firenze Medicea, the Frank Lloyd Wright exhibition is a testament to the existence of a thriving cultural exchange, which in this instance, introduces modern American architecture to the Italian public. One of the most celebrated Americans in his field, and like so many other Americans–both artists and non-artists alike, Wright chose this as a place of sojourn. It is a place that leaves an indelible mark on all who visit by way of memories, inspiration, or even through the simple stirring of emotions.

Frank Lloyd Wright is a central figure in turn-of-the-century architecture in America: he is the founding father of organic architecture, the forerunner of contemporary architecture. Experts in the field are intimately acquainted with Wright's search to create harmony between man and nature, between human habitation and the natural world. This exhibition has made Wright's art accessible to us all, painting a picture of modern America, which I am honored to represent, revealing one of its most flattering features.

Wright's sojourn in Fiesole in 1910 is considered a major turning point in the life of this American architect who, at the time of his visit, had already attained notoriety in America. But it was here in this medieval borg that Wright sought refuge in the fashion of a true artist and renewed his creative spirit. The Tuscan landscape and architecture influenced his work and are fundamental to understanding the evolution of his architectural style in the years that followed.

We owe much to Italy–for Italy has often been a source of inspiration and admiration for Americans due to its inestimable artistic and human patrimony. This exhibition on Frank Lloyd Wright, one of the most noted figures in the U.S., serves as an excellent opportunity for us to highlight one of the most beautiful aspects of American culture.

MAURO PIATTOLI

Presidente Rotary Fiesole
President of Rotary Fiesole

ROBERTA BENCINI

Presidente Inner Wheel
Firenze Medicea
President of Inner Wheel
Firenze Medicea

L'idea di una mostra che ricordasse il soggiorno a Fiesole di Frank Lloyd Wright nell'anno del centenario è nata con l'intenzione di una riflessione su questo periodo poco conosciuto della vita del grande architetto americano,giunto in Europa deciso a dare una svolta alla sua vita personale.
Un ulteriore obiettivo è stato quello di mettere in evidenza come il soggiorno in Europa e soprattutto a Firenze abbia costituito un elemento fondamentale per la successiva evoluzione del suo linguaggio artistico.
Il Rotary di Fiesole, associazione internazionale presente sul territorio fiesolano da quasi vent'anni e l'Inner Wheel Firenze Medicea si sono fatti promotori di questo progetto presso l'amministrazione comunale di Fiesole che ha appoggiato da subito l'idea. È iniziata quindi la nostra avventura americana "accreditati" dal console generale degli Stati Uniti a Firenze, Mary Ellen Countryman a cui vanno i nostri ringraziamenti per la collaborazione dimostrata.
La visita della casa e dello studio, dove si sono avvicendate tante generazioni di giovani architetti, è stata un'esperienza indimenticabile come indimenticabile è stata la sensazione provata nel vedere per la prima volta la sagoma di Taliesin che si stagliava sulla cima della collina.
Veramente Taliesin è un luogo magico, dove, nonostante le terribili vicende di cui è stato testimone, permane un senso di grande serenità e di armonia con la natura circostante. Si può dire che l'obiettivo di Wright di costruire una casa ed uno studio dove poter progettare insieme ai suoi collaboratori in sintonia con i luoghi sia stato perfettamente raggiunto.
Di ritorno dall'America ,con la preziosa collaborazione di Margo Stipe, responsabile degli archivi della Frank Lloyd Wrigth Foundation di Scottsdale in Arizona e di Anthony Alofsin , storico dell'architettura oltre che uno dei principali studiosi di Wright,il progetto iniziale è stato perfezionato , a poco a poco ha preso forma ed ha trovato quindi la sua conclusione con la realizzazione della mostra e di questo catalogo.

The idea for this exhibition is so that we can look back on Frank Lloyd Wrights' stay in Fiesole exactly 100 years after the event. The intention is to reflect upon this little known period in the great American architect's life, a period in which he arrived in Europe in order to deal with his personal issues.
Another reason is to show how his stay in Europe, especially Florence, was fundamental in the subsequent shaping of his artistic career.
The Rotary Club of Fiesole, the international association that has been present here for almost twenty years, and the Inner Wheel Firenze Medicea, suggested this project to the local council of Fiesole. The council immediately backed the idea and it is from this point that our American adventure began, commissioned by the Consul General of the United States here in Florence, Mary Ellen Countryman to whom we express our thanks for her collaboration with this project.
The visit of the house/studio that has inspired many young architects was an unforgettable experience. Seeing the silhouette of Taliesin for the first time outlined on the hilltop was also an incredible experience.
Taliesin is a truly magical place, where in spite of the terrible events that occurred, there remains a great sense of peacefulness and harmony with the surrounding nature. You could say that Wright's objective in building a house and a studio for his apprentices where they could work in tune with their surroundings was a perfect decision.
Returning from America, with the valuable collaboration of Margo Stipe, the archive manager of the Frank Lloyd Wright Foundation in Scottsdale, Arizona and Anthony Alofsin, architectural historian and one of the main scholars on Wright, the initial project was organized. Bit by bit, the project took shape with the results being this exhibition and catalogue.

Antonio Bugatti

Presidente Ordine Architetti Firenze

President Register of the Architects Firenze

Torna a Fiesole e ci sorprende di nuovo: allora a noi quasi sconosciuto e ora riconosciuto nella sua indiscussa grandezza, con più di trecento edifici realizzati e concepiti dal suo vitale impegno verso situazioni immaginate più che reali, indipendenti da imposizioni esterne e da ogni classicismo.

Frank Lloyd Wright ha influenzato permanentemente almeno tre generazioni di architetti, educati dalla sua capacità, di gran lunga superiore ad altri suoi contemporanei, di progettare prevedendo gli effetti spaziali delle forme disegnate, con il giusto distacco di chi cerca di superare ogni soluzione usata. Ora lo incontriamo ancora una volta e ci fa riflettere sul tempo, che non sembra passato, della sua continua lezione comunicante un messaggio attualissimo, forse più attuale adesso di allora. Chi lo aveva capito al suo manifestarsi, era già grande, chi ha cercato di capirlo più tardi, anche criticandolo per alcune sue solitudini operative e lontananze dal movimento moderno, lo è diventato.

Questa iniziativa fiesolana, che rafforza, sul tema architettonico, il contatto tra due culture americana ed europea, lo accoglie di nuovo, dopo un secolo esatto, in un momento in cui c'è bisogno di cogliere l'importanza della architettura in una società che ha fortemente bisogno di trovare dei valori nuovi da assegnare al corretto rapporto tra edificio e paesaggio, che risolva in "bellezza formale" la necessità di tenere insieme materia naturale e materia artificiale.

Il pioniere americano ha progettato di getto e cartesianamente radicato al suolo e, allora dopo essersi lasciato permeare da questi luoghi non senza lascarvi tracce, si è sollevato nei volumi che gli hanno poi dato fama internazionale, sempre in coerenza con la sua suprema caratteristica, chiamata "iniziativa": "quando l'iniziativa è forte e operante allora la vita sprizza copiosa e opera", scriveva nella suo "Io e l'architettura".

A Fiesole Frank Lloyd Wiight tramette ancora il suo nuovo messaggio, che ha indubbiamente segnato l'architettura del XX secolo, da queste colline e dai loro antichi segni dove assunse altro alimento per il suo senso dei luoghi e della storia, lasciando in compenso il suo segno inconfondibile: semplicità e quiete.

È stato un momento importante allora per la suo salto da America a Europa, da orizzontale a verticale, da notorietà locale a fama internazionale. È qui di nuovo a ripetere la sua "lezione"; a ricordarci che la sua opera ci appartiene adesso ancora di più di allora. L'attualità del suo messaggio oggi ci conferma la premonizione, che non tutti subito avevano colto da quei delicati disegni, così pieni si forza espressiva in armonia, con le condizioni del suo essere rispettoso della tradizionalità e della natura...."egli somiglia sempre di più a un gigantesco albero che, in un vasto paesaggio, acquista anno per anno una più nobile corona".

Returning to Fiesole to thrill us yet again! During his initial stay here in Fiesole, Frank Lloyd Wright was almost unknown to us. With over three hundred completed buildings to his name and designs developed with imagination and uninfluenced by external forces or classic design, he is now recognised for his indisputable greatness in the field of architecture.

Frank Lloyd Wright has influenced at least three generations of architects, educated by his great capability which was superior to that of his contemporaries. His ability to visualize the 'spatial' effects of a project, with just the right amount of detachment, allowed him to master every situation.

We reflect once again on his message and what he taught, lessons that may be more relevant now than in the past. Anyone who followed him as he was starting out was already a great architect, however those who followed him even if they were critical of his work and didn't embrace the modern movement, would also become great architects.

This exhibition in Fiesole, within the architectural theme, reinforces the coming together of two cultures – American and European. Exactly one century on from his arrival in Fiesole, this exhibition will hopefully seize the opportunity to emphasize the importance of architecture within a society which has a strong need of finding new ways to address the correct balance between building and the environment. A need to pull together both natural and artificial materials in order to create a "formal beauty".

The American pioneer, designing both instinctively and from Cartesian roots, is revealed in the volumes of work that have given him international fame. They are always consistent with his predominant feature, 'initiative': ..."When initiative is strong and functions then life will flourish and thrive"... as written in his book 'Architecture and I'.

In Fiesole, Frank Lloyd Wright once again shares his modern message that has undoubtedly left its mark on 20th century architecture. His inspiration taken from these hills and their surrounding area gave him a sense of place and history. In return, he has left his unmistakable mark: simplicity and tranquility.

His transition from America to Europe has been a very important turning point in his life, progressing from local notoriety to international fame. Once again we are reminded of his 'lesson' and that his body of work is even more relevant today than it was in the past. The relevance of his message today confirms his vision (that possibly wasn't immediately clear from his delicate designs), that it is essential to express harmony by being respectful of tradition and nature... "More and more they seem to resemble a huge tree which, in a vast landscape, acquires year by year, a more noble crown".

RCHITECT
Y. FLORENCE 1910

1910. WRIGHT A FIRENZE E FIESOLE

MARCO DEZZI BARDESCHI

1. Il vate ed il messia del nuovo mondo sul colle lunato

Questa mostra racconta dell'incontro (imprevisto e imprevedibile) tra culture molto lontane tra loro nello spazio e nel tempo. E per qualche mese, nello stesso anno 1910, la collina lunata tra Fiesole e Settignano diventa l'intrigante palcoscenico di un confronto davvero epocale.

Da una parte, a Settignano, nel neorinascimentale *horror vacui* della Capponcina, antica villa dei Capponi, si celebra il quotidiano autosacramentale laico dell'immaginifico Gabriele D'Annunzio, teatrale e ricercato protagonista dei pettegoli salotti buoni della penisola. Il narciso e "sensuale egoarca" del vecchio mondo, da più di dieci anni l'ha scelta (grazie a, e con, Eleonora Duse) come sede della propria quotidiana autocelebrazione letteraria. Vi scrive febbrili testi teatrali: tra i quali la sua prima tragedia *(la città morta,*1896), un "romanzo di passione" (il F*uoco,* 1900) ed un omaggio, da pari a pari, al superuomo nicciano (*Forse che sì, forse che no, 1909).* Ma nel maggio 1910 sarà costretto a fuggire lontano, "in volontario esilio" in Francia, braccato dagli usurai e dai molti insaziabili creditori che metteranno all'asta i suoi arredi iperstorici ed il suo esuberante vissuto.

Dall'altra parte, a Firenze prima (dal marzo 1909) e poi a Fiesole, si compie l'inatteso approdo di un altro naufrago eccellente (questa volta del nuovo mondo), anch'esso – come dichiara - "in esilio": il quarantenne Frank Lloyd Wright, ufficialmente in fuga dai suoi stessi successi progettuali per committenti di lusso (le *Prairie Houses*) ma, in realtà, sospinto via dalla ormai insostenibile glacialità del proprio letto coniugale. L'architetto americano è al vertice della propria fortuna professionale, eppure lo vediamo cogliere al balzo l'offerta dell'editore tedesco Wasmuth di una grande mostra a Berlino, per interrompere una ormai consumata routine familiare, mettendo un decisivo punto e da capo sul proprio progetto di vita, Eccolo così sfidare il dominante perbenismo della società puritana pur di mettere una bella pietra sopra il proprio pur acclamato passato.

Frank dunque, com'è noto, inizia il proprio personale viaggio di liberazione il 20 settembre 1909 per raggiungere, al Palace Hotel di New York, la sua nuova fiamma, Mamah Borthwick, moglie di uno dei suoi clienti (la casa "galeotta" di Edwin Cheney è del 1904), e per imbarcarsi con lei qualche settimana dopo con destinazione Europa. Nell'ottobre ecco infatti la nuova coppia in fuga d'amore, lasciarsi alle spalle tutti i figli (sei lui e due lei) e raggiungera Londra con meta Berlino, dove l'architetto è atteso dall'editore tedesco (il contratto sarà firmato solo nel novembre successivo). E, dopo un viaggio sentimentale per varie città d'Europa, eccolo approdare, da solo, nel marzo 1910, a Firenze, dove subito lo raggiungeranno, nel villino Fortuna d'Oltrarno, il figlio diciannovenne Lloyd ed un fedele disegnatore claudicante proveniente da Oak Park (Taylor Woolley). Il clima a Firenze è continentale e la primavera è in ritardo: fa ancora molto freddo e, malgrado i bracieri, le mani "gelate" dei generosi disegnatori ne soffrono. Wright appare radioso per la nuova esperienza di vita, pur essendo ancora in attesa dell'arrivo della sua nuova compagna rimasta a Berlino (dove, nel frattempo, ha ricevuto un contratto d'insegnamento a Lipsia). Ai primi di giugno, dopo tre mesi trascorsi in città, la missione dei due aiutanti sembra sostanzialmente compiuta e Woolley e Lloyd possono lasciare Wright e ripartire: si incontreranno di nuovo tutti insieme a Parigi dove Wright li raggiungerà.

2. Fiesole, Villino Belvedere: "la casa delle case"

Quando, finalmente, Mamah lo raggiunge a Firenze, Frank sceglie una nuova residenza. La trova a Fiesole: è un intimo microcosmo, un romantico *interieur* affacciato a strapiombo su un panorama da capogiro dell'antica città, che una ricca signora inglese, Elizabeth Illingworth, gli affitta. È il villino Belvedere (alla lettera!) il confidente "nido del volo dell'aquila sul ciglio della montagna" di cui l'architetto parlerà con compiaciuto orgoglio. La casa, posta alla convergenza di due strette stradine, ha sulla punta d'ingresso un minuscolo giardinetto triangolare, un fazzoletto di verde eternato in una foto dello stesso

anno 1910. All'interno (l'abitazione è al piano superiore), al piano terra, è un grande stanzone (lo studio), le cui pareti vengono presto interamente tappezzate dai disegni che l'attivo ospite sta preparando per la mostra berlinese. Accanto a lui ora c'è Mamah che pazientemente lavora alla traduzione in inglese delle opere di una brava scrittrice svedese, radicale e femminista (Helen Key): saranno pubblicate al suo rientro a Chicago l'anno dopo.
Quello di via Verdi è un idilliaco nido d'arte e d'amore, destinato a restare indimenticabile nella memoria dei due protagonisti della bruciante *love history*: "lei - confesserà l'architetto - aveva realizzato per me la casa delle case: per sempre la ricorderò anche per questo".
Il suo più recente saggio scritto prima di lasciare Oak Park (*The Ethics of Ornament*, 1909) conferma, fin dal titolo, la predilezione di Frank per l'amato Ruskin. Ora, nel suo pur breve ma intenso soggiorno fiorentino, introietta ed assimila a piene mani la grande cultura storicista italiana leggendo *le Vite* del Vasari e il Ruskin dei *Morning in Florence*. Gli faranno poi da utile *Baedeker* le opere "italiane" di William Howells, padre del realismo americano (*Italian journeys*, 1867; *Tuscan cities*, 1886; *Venetian life*, 1866). Con il primo autore (Vasari) Wright scopre la straordinaria modernità di Masaccio e la aerea leggerezza di Brunelleschi. E con il secondo (Ruskin) la sublime sintesi pittorica di Giotto. Poi, grazie ai frequenti viaggi della coppia, incontra, a Roma, la classica solarità di Bramante e, a Venezia, l'impeccabile aulicità del Sansovino. Se poi vogliamo provare ad entrare in un analogo rapporto simpatetico e di immedesimazione sentimentale con il Rinascimento rileggiamoci le, da lui ben consultate, pagine delle *Italian Hours* di Henry James, allora fresche di stampa (1909). Ma certo non possiamo dimenticare che a due passi, tra Settignano e Fiesole, è approdato da dieci anni ai Tatti presso Ponte a Mensola, anche il lituano Bernard Berenson, naturalizzato americano, che, studiando e pubblicando (dal 1903) i grandi pittori del Rinascimento, fiorentini e veneziani, vi dà vita ad un prestigioso ed ancora oggi felicemente attivo santuario di storia e di critica d'Arte (ora della Harvard University).

Nella casa di via Verdi la coppia è felice. Mamah, in particolare, pensa ormai seriamente a radicarsi in modo stabile a Fiesole. E Frank pare accondiscendere di buon grado a tale maturata scelta di vita e, per rendere definitivo il loro approdo sulla collina, le disegna il progetto di una nuova abitazione-studio che poi costituirà in embrione il modello della futura Taliesin (1911).

3. Firenze, 1910: dal Decadentismo al Futurismo

La Firenze nella quale approda Frank è uno straordinario crogiolo di molteplici esperienze eclettiche che, pur contrapposte, convivono. La punta più tradizionale e nostalgica dello storicismo accademico vi è rappresentata dai deliri iperstoricisti dei fratelli Coppedè (Gino, autore del Castello MacKenzie di Genova, e Adolfo, autore dei due "castelli" neomedioevali di Settignano e di Bellosguardo e definito (figurarsi!) "archipenzolo e archigocciolone" dallo stesso D'Annunzio), i quali, con la bottega artigianale ereditata dal padre Mariano (*la Casa artistica*) continuano ad accreditare la costruzione, sulle colline attorno, di un paesaggio pittorico fatto di cipressi e di castelli neomedioevali (sull'esempio di Vincigliata e delle vicine costruzioni romantiche dei Temple Leader, a nord - visitate dalla stessa Regina Vittoria - e della Torre del Gallo ad Arcetri, a sud).
Negli stessi nuovi grandi cantieri di città prevale il reprint analogico-stilistico delle grandi opere del Rinascimento (il palazzo delle Assicurazioni in piazza della Signoria, il palazzone delle Poste in via Pellicceria, e tutti gli altri grandi edifici del cuore sventrato della città, "da secolare squallore a nuova vita restituito".
La Firenze vista da Wright in questo suo primo soggiorno fiesolano è sostanzialmente una città neoantica, a rima baciata, con il neomedioevale campanile di Santa Croce (Baccani) e le nuove facciate della stessa chiesa (Matas) e della cattedrale (De Fabris). Una dominante questa accreditata, sulla scena urbana, dai successi del restauro in versione stilistica, teso a riprodurre un serioso medioevo d'invenzione: gli improbabili "restauri" della Casa di Dante (Castel-

lazzi) e del palazzetto dell'Arte della Lana ad Orsanmichele (Lisini, 1905), questi ultimi inaugurati dall'alata prosa del vecchio Carducci. Alla morte del quale (1907) si attua il naturale passaggio del testimone epico a D'Annunzio, autoproclamatosi nuovo Vate nella commemorazione milanese di Carducci al Teatro Lirico (1908).
Eppure, da questa pesante corrazza di un neostoricismo accademico, di maniera, che continua ad eternare in modo ossessivo, facendole il verso, la tradizione espressiva della grande Storia delle forme, stanno spuntando dei nuovi, freschi fiori blu: si afferma in città la lirica tensione tra il liberty della Secession e il floreale piccolo-borghese dei villini di Giuseppe Michelazzi, in via Mazzini, Scipione Ammirato, Giano della Bella e Ognissanti.
Ma soprattutto comincia ora ad esplodere, sempre più incontenibile, la nuova grande ondata di energia scatenata dalla rumorosa avanguardia dei nuovi *enfants terribles* che, nella città di un insopportabile "Rinascimento" perenne, ora si divertono a provocare e ad *épater les bourgeois*. La nuova generazione irrompe sulla scena culturale della città con una serie di nuove riviste: la prima è *il Leonardo*, fondata dagli appena ventenni Papini (nato nel 1881) e Prezzolini (nato nel 1882), cui seguirà *il Regno* - di Corradini (fino al 1905) e Papini - e *la Voce*, fondata da Prezzolini (1908) cui subentrerà Papini (dal 1912) e collaborerà anche Soffici, ritornato a Firenze dopo cinque anni passati con il "maestro" Cezanne a Parigi (1903-1907). Ultima e più brillante della serie ecco, infine, a consacrare il successo del movimento futurista, *Lacerba* (fondata nel 1913 da Papini e da Soffici) che "il miliardario" Marinetti finanzierà personalmente acquistandone ben 3000 copie a numero!).

4. Marinetti e D'Annunzio, "erma bifronte della modernita'"

Ad inaugurare l'attenzione di Filippo Tommaso Marinetti (da ora in poi detto: FT) per l'autore del *Piacere* (1888) e del *Fuoco* (1900) c'era già stato, all'origine, il suo *Gabriele d'Annunzio intime* (1903), che, fin dalla copertina, metteva in evidenza la caricatura di un re vanesio intento a lucidare la propria corona! Quattro anni dopo - è il 16 febbraio 1907 – il fondatore del Futurismo dedicherà a D'Annunzio un nuovo dissacrante "omaggio" quando muore Carducci e FT va a Bologna al suo funerale e, dopo il discorso del Lirico di Milano ed un suo articolo sul 'Corriere', scriverà l'ironico "*Les dieux s'en vont, d'Annunzio reste*". Anche se ne apprezza la prosa, scriverà, "nei suoi versi c'è una triplice fonte di suoni, di profumi e colori che immergono il lettore in una riserie meravigliosa di cui si potrebbe trovare l'equivalente soltanto riunendo le qualità speciali di un Baudelaire, di un Verlaine, di uno Shelley, di uno Swinburne". Per poi aggiungere: "quasi non posso salutare l'autore del *Fuoco* senza respirare con voluttà il misterioso profumo di estro e di furbizia che diffonde il suo gesto femminile", finendo per riconoscere di essere, proprio lui, il padre del Futurismo, "figlio di una turbina e di Gabriele Dannunzio"!
Quello di D'Annunzio e Marinetti, ha acutamente sintetizzato Claudia Salaris, è davvero una stimolante "erma bifronte della Modernità". È stato notato come - sembra un paradosso - in FT e nei giovani (Papini, Prezzolini, Soffici) in rivolta contro il Vate i punti di contatto siano in definitva assai più numerosi di quelli di vera contrapposizione. L'amore smodato per il lusso, ad esempio, non è solo una caratteristica estetizzante del D'Annunzio della Capponcina, "vivace consumatore del superfluo", che, come un collezionista cleptomane, accumula nel suo guardaroba un'incredibile numero di cravatte, scarpe, camicie e cappelli.
Una tale eccentrica civetteria appartiene anche al raffinato dandysmo di FT e dello stesso Frank: "ho bisogno di essere attorniato da cose belle", gli farà dire Nancy Horan nel suo *Mio amato Frank* (2007). Per così concludere: "sono un artista, Mame, Tu dovresti capirlo, più di chiunque altro: i begli oggetti mi stimolano, mi danno ispirazione". Questo non impedisce a FT di proclamare (e proprio

nel 1910): "che bisogna ad ogni costo combattere Gabriele D'Annunzio, perchè egli ha raffinato, con tutto il suo ingegno, i quattro veleni intellettuali che noi vogliamo assolutamente abolire: 1° la poesia morbosa e nostalgica della distanza e del ricordo; 2° il sentimentalismo romantico grondante di chiaro di luna, che si eleva verso la Donna-Bellezza ideale e fatale; 3° l'ossessione della lussuria, col triangolo dell'adulterio, il pepe dell'incesto e il condimento del peccato cristiano; 4° la passione professorale del passato e la manìa delle antichità e delle collezioni".

5. Wright nel risveglio futurista della città

Alla fine del 1909 FT chiude il numero della sua lussuosa rivista in formato gigante '*Poesia*' con la scritta in rosso (*Futurismo!*) con la quale la traghetta dal simbolismo e dal liberty nel nuovo mondo dell'estetica della velocità, della provocazione, dello schiaffo e del pugno. "Noi rinneghiamo - scriverà poi – i nostri maestri simbolisti amanti della luna".
Seguendo le costose passioni "sportive" di D'Annunzio (che nel 1908 aveva comprato una *Torpedo* ed aveva conseguito all'aeroporto di Montechiari quel brevetto di volo che ne accrediterà le eroiche imprese interventiste), FT conquista la scena del gossip dei salotti letterari esaltando il nuovo culto della velocità: la sua foto al volante di una mitica Isotta Fraschini ed il grave incidente che ne segue all'uscita stessa dalla fabbrica (15 ottobre 1908), fa sùbito il giro dei quotidiani e delle riviste. Così il chiacchierato FT fa irruzione alla grande sulla scena parigina con la pubblicazione del *Manifesto* su 'le Figaro' (20 febbraio 1909) e con il romanzo *Mafarka il futurista*, messo all'indice per oscenità (ma tradotto in italiano nel 1910), nel quale la poetica delle "parole in libertà" si coniuga con il dannunziano "amor sensuale della parola".
Quando Wright arriva a Firenze circolano già, nelle librerie cittadine, Il *Crepuscolo dei filosofi* di Papini (1906), *Cos'è il Modernismo* di Prezzolini (1908) e l'*Incendiario* futurista di Palazzeschi (1910) che sempre FT propone di distribuire in omaggio in ben 700 copie soprattutto a chi non lo avrebbe mai letto. Così la nuova parola d'ordine (*Futurismo!*) si diffonde ad arte per tutta la penisola con le apparizioni del solito gruppo di provocatori e con la nuova strategia vincente per la quale la parola si fa azione e l'informazione precede l'avvenimento . Sono serate che finiscono immancabilmente in urla, spinte, calci, pugni e nel lancio di ortaggi.
Uno sguardo alle date di quel frenetico 1910 in cui Frank arriva a Firenze: il 12 gennaio FT è a Trieste, il 10 febbraio a Roma (con il *Manifesto della pittura* scritto da Boccioni), il 15 febbraio a Milano (al Lirico), l'8 marzo a Torino (dove Boccioni legge il *Manifesto*), il 20 aprile a Napoli (al Mercadante), l'8 luglio a Venezia (alla Fenice, dopo che il 26 aprile erano stati gettati manifestini dall'alto della Torre dell'Orologio in piazza San Marco). Sono queste, con tante altre, le premesse della clamorosa serata futurista di Firenze del 29 giugno 1911, con la storica "spedizione punitiva" di Marinetti, Boccioni, Carrà, Russolo e delle botte scambiatesi tra i due gruppi alle Giubbe Rosse.
Wright è indubbiamente un grande affabulatore, anche quando rievoca a distanza di tempo la sua bella avventura sentimentale fiorentina: "passeggiavamo insieme...la mano nella mano...circondati dalla vista e dal profumo delle rose. Eppoi di notte...sotto braccio...nelle ombre fitte del bosco illuminato dalla luna".
Ma l'incanto romantico dell'idillio fiesolano presto si incrina: Wright ora comincia a sentirsi in gabbia, prigioniero di un fulminante ma irreale sogno di una notte di mezza estate. Ed ai primi di luglio infatti, in una lettera all'amico Ashbee, già pensa al suo ritorno. non appena scadrà il contratto con Wasmuth (ai primi di settembre 1910). La fiamma bruciante dell'amore poco a poco si smorza. È ora, per lui almeno, tempo di ritornare ad affrontare la realtà là, sulla collina analoga dei suoi genitori, a Taliesin, che è - alla lettera - la collina splendente delle forti radici affettive della sua infanzia.

L'AUTOMOBILE DI FRANK LLOYD WRIGHT.

Frank Lloyd Wright's car.

UMBERTO BOCCIONI, *UNA SERATA FUTURISTA*, 1911.

Umberto Boccioni, *A Futurist Evening*, 1911.

1910: WRIGHT IN FLORENCE AND FIESOLE

Marco Dezzi Bardeschi

1. The Prophet and the Messiah of the New World on the Crescent-shaped Hill

This exhibition tells of the (unforeseen and unforeseeable) meeting of cultures very far from each other in time and space. And for some months, in the same year 1910, the crescent-shaped hill between Fiesole and Settignano became the intriguing stage for a truly significant exchange.

Settignano, on the one hand, in the Neo-Renaissance *horror vacui* of Capponcina, an ancient villa owned by the Capponi family, celebrated the daily self-sacramental laic which was the highly imaginative Gabriele D'Annunzio, a theatrical and sought-after protagonist of the gossip-filled fashionable salons of the peninsula. The narcissist and "sensual egoist" of the old world had chosen it, over ten years ago (thanks to and with Eleonora Duse), as the location for his daily literary self-celebration. There he wrote feverish theatrical texts: among which his first tragedy, *(La Città Morta,* 1896), a "passion novel" (*Fuoco,* 1900) and a tribute, as equals, to the Nietzschean superman (*Forse che sì, forse che no, 1909).* But in May 1910 he was forced to flee far away, "in voluntary exile" to France, hunted by money-lenders and many insatiable creditors who would auction off his hyper-historical furnishings and exuberant life.

On the other hand, first Florence (from March 1909) and then Fiesole saw the unexpected landing of another brilliant survivor (this time from the new world), also – as he declared – "in exile": the forty-year-old Frank Lloyd Wright, officially on the run from his own design achievements for top-end clients (the *Prairie Houses*) but, in reality, driven away by the now unbearable iciness of his marital bed. The American architect was at the peak of his professional fortune, nevertheless he seized an offer from the German publisher Wasmuth to put on a big exhibition in Berlin, so as to interrupt a by then worn-out familiar routine. Despite his acclaimed past he challenged the overbearing conformism of puritan society. Consequently, as we know, Frank started his personal journey of liberation on 20 September 1909, meeting his new flame, Mamah Borthwick, the wife of one of his clients (Edwin Cheney's "fateful" house was built in 1904), at Palace Hotel in New York and setting off with her a few weeks later, bound for Europe.

In October, the new couple, who had eloped leaving all their children behind (six on his side and two on hers) reached London and were headed to Berlin, where the German publisher was waiting for the architect (the contract was only signed the following November). And, after a sentimental trip through various cities in Europe, Wright came alone, in March 1910, to Florence where he was immediately joined in the Fortuna town house in Oltrarno by his 19 year-old son, Lloyd, and a faithful lame renderer from Oak Park, Taylor Woolley. Florence has a continental climate, and spring was late: it was still very cold and, in spite of braziers, the "frozen" hands of generous designers suffered from it. Wright appeared radiant due to his new life experience, despite still awaiting the arrival of his new companion who had stayed in Berlin (where, in the meantime, she had received a contract to teach in Leipzig). At the start of June, after spending three months in the city, the mission of his two helpers seemed complete, to all intents and purposes, and Woolley and Lloyd were free to leave Wright and depart: they all met up again in Paris where Wright travelled to join them.

2. Fiesole, Villino Belvedere: "The House of Houses"

When Mamah finally arrived in Florence, Frank chose a new residence in Fiesole: an intimate microcosm, a romantic *interieur* overlooking a sheer drop with a staggering view of the ancient city, let to them by a rich English lady, Elisabeth Illingworth. Villino Belvedere (to the letter – meaning beautiful view!) was the confident "nest of the eagle's flight on the brow of the mountain" of which the architect would speak about with smug pride. The house, situated where two narrow streets converge, had a tiny triangular garden at its entrance, a small patch of green immortalized in a

photo from the same year, 1910. Inside (the apartment was on the first floor) there was a large room (the studio) on the ground floor, whose walls were quickly covered with drawings the active guest was preparing for the exhibition in Berlin. Mamah worked patiently beside him on an English translation of works by a smart, radical and feminist Swedish writer, Helen Key; they were published the following year upon her return to Chicago.
Via Verdi was an idyllic art and love nest, destined to become an unforgettable memory for the two protagonists of the burning love story: "she created the house of houses for me – the architect would confess: I'll always remember her for this too".
The essay he wrote just before leaving Oak Park (*The Ethics of Ornament*, 1909) confirmed, in its very title, Frank's predilection for the beloved Ruskin. During his brief but intense stay in Florence, he introjected and assimilated the great Italian historicist culture without reserve by reading Vasari's *The Lives of the Artists* and Ruskin's *Mornings in Florence*. The "Italian" works by William Howells, the father of American realism (*Italian journeys*, 1867; *Tuscan cities*, 1886; *Venetian life*, 1866) would also act as *Baedeker* guides for him. Through the first author (Vasari) Wright discovered Masaccio's extraordinary modernity and Brunelleschi's aerial lightness; with the second (Ruskin) Giotto's sublime pictorial synthesis.
Then, thanks to the couple's frequent travels, in Rome he came across the classic radiance of Bramante and, in Venice, the impeccable grandeur of Sansovino. Should we then wish to attempt to enter into a similar sympathetic relationship and sentimental identification with the Renaissance we should read the pages, heavily consulted by Wright, of Henry James's *Italian Hours*, at that time just fresh from the printer (1909). But let us not forget that a stone's throw away, between Settignano and Fiesole, a Lithuanian had settled at Villa I Tatti, near Ponte a Mensola, ten years earlier: Bernard Berenson, a naturalized American who had studied and published the great painters of the Renaissance, Florentines and Venetians, since 1903, established a prestigious, and happily still active today, sanctuary of Art History and Criticism there (now part of Harvard University).
The couple were happy in the house in Via Verdi. Mamah, in particular, thought seriously about settling in Fiesole more permanently. Frank appeared, to a fair degree, to condescend to this matured lifestyle choice and, to make their landing place on the hill definitive, designed a new house-studio that he would then use as a model for the future Taliesin (1911).

3. Florence, 1910: from Decadence to Futurism

The Florence that Frank found upon his arrival was an extraordinary melting pot of manifold eclectic experiences that, despite contrasting, existed side-by-side. The most traditional and nostalgic point of academic historicism was represented by the delirious Coppedè brothers' hyper-historicism (Gino, architect of MacKenzie Castle in Genoa, and Adolfo, architect of the two Neo-Medieval "castles" in Settignano and Bellosguardo and defined (imagine!) as "*arcipenzolo*" and "*arcigocciolone*" by D'Annunzio himself) who, with the artisan workshop (*la Casa artistica*) inherited from their father Mariano continued to support construction on the surrounding hills, a pictorial landscape composed of cypress trees and Neo-Medieval castles (on the example of Vincigliata and the nearby romantic constructions of Palazzo Temple Leader, to the north – visited by Queen Victoria herself – and Torre del Gallo on the hills of Arcetri, to the south).
The analogical-stylistic reprint of the great works of the Renaissance prevailed in the same huge building sites in the city (Palazzo delle Assicurazioni Generali in Piazza della Signoria and Palazzo delle Poste in Via Pellicceria) and all the other large buildings in the demolished heart of the city, "restored to new life after age-old squalor".
The Florence that Wright saw during his first stay in Fiesole was essentially a neo-ancient city, a rhyming couplet, with the Neo-Me-

dieval bell tower of Santa Croce (Baccani) and new facades on the same church (Matas) and the cathedral (De Fabris). A dominant concept on the urban scene confirmed by the successful stylistic restoration designed to reproduce an invented staid Middle Age: the unlikely "restorations" of Dante's house (Castellazzi) and the Palazzo dell'Arte della Lana to Orsanmichele (Lisini, 1905), these latter unveiled by the lofty prose of an old Carducci upon whose death, in 1907, D'Annunzio naturally succeeded him, proclaiming himself the new Prophet in the Milanese commemoration of Carducci at Teatro Lirico (1908).
And yet, from this heavy armour of academic New Historicism that continued to obsessively immortalize, imitating it, the expressive tradition of the great History of forms, new fresh blue flowers began to spring forth: the city was in lyrical tension between the Liberty style of the Secession and the floral petty bourgeois of Giuseppe Michelazzi's town houses in Via Mazzini, Scipione Ammirato, Giano della Bella and Ognissanti.
But above all, the new great wave of increasingly irrepressible energy began to explode, unleashed by the loud vanguard of the *enfants terribles* who, in the city of an unbearable perennial "Renaissance", now enjoyed themselves attempting to provoke and *épater les bourgeois*.
The new generation burst onto the cultural scene of the city with a series of new magazines: the first was *il Leonardo*, founded by Papini who had just turned twenty (born in 1881) and Prezzolini (born in 1882), followed by *il Regno* - by Corradini (until 1905) and Papini – and *la Voce*, founded by Prezzolini (1908) which Papini took over (from 1912) also collaborating with Soffici, who had returned to Florence after five years spent with the "master" Cezanne in Paris (1903-1907). The last and most brilliant of the series was, finally, to consecrate the success of the futurist movement, *Lacerba* (founded in 1913 by Papini and Soffici) which "the billionaire" Marinetti personally financed by buying around 3000 copies per issue!).

4. Marinetti and D'Annunzio, "the Two-faced Herm of Modernity"

Filippo Tommaso Marinetti (hereinafter referred to as FT) had already unveiled his attention to the author of *Piacere* (1888) and *Fuoco* (1900) with his book *Gabriele d'Annunzio intime* (1903) which, starting with the cover, focused on the caricature of a conceited king intent on polishing his crown! Four years later – on February 16, 1907 – the founder of Futurism dedicated a new debunking "tribute" to D'Annunzio when Carducci died and FT went to Bologna for his funeral; after the discussion at the Teatro Lirico in Milan and his article in the 'Corriere', he wrote the ironic "*Les dieux s'en vont, d'Annunzio reste*". Even though he appreciated prose, he wrote, "his lines contain a threefold source of sounds, scents and colours that submerge the reader in a wonderful *riserie*, the equivalent of which could only be found by combining the special qualities of a Baudelaire, a Verlaine, a Shelley and a Swinburne". And then went on to add: "I almost cannot greet the author of *Fuoco* without inhaling with intense pleasure the mysterious scent of talent and cunning that diffuses his feminine gesture", finishing by recognizing him as the father of Futurism, "son of a turbine and Gabriele D'Annunzio"!
Together D'Annunzio and Marinetti, as Claudia Salaris perceptively summarized, formed a truly stimulating "two-faced herm of Modernity". It has been noted how, paradoxically, the points of contact between FT and the youths (Papini, Prezzolini and Soffici), in revolt against the Prophet, were, all things considered, much more numerous than those of real opposition. The excessive love of luxury, for example, is not only an aesthetic bent of D'Annunzio at the Capponcina, "exuberant consumer of the superfluous", who, like a kleptomaniac collector, accumulated an incredible number of ties, shoes, shirts and hats in his wardrobe. This eccentric affectation also belonged to the refined dandyism of FT and Frank himself: "I need to be surrounded by beautiful things", as Nancy Horan would have him say in *Loving Frank* (2007). To thus conclude: "I'm an artist,

Mame, you should understand that more than anyone else: beautiful things stimulate me, they give me inspiration".
This did not prevent FT from proclaiming (and in 1910 itself): "we must fight Gabriele D'Annunzio at all costs, because he refined, with all his ingenuity, the four intellectual poisons that we absolutely want to abolish: 1st the morbid and nostalgic poetry of distance and memory; 2nd romantic sentimentalism dripping with moonlight, that rises towards the ideal and fatal Woman-Beauty; 3rd the obsession with lust, the love triangle, the pepper of incest and the seasoning of Christian sin; 4th the professorial passion of the past and the mania for antiquity and collections".

5. Wright in the City's Futurist Reawakening

At the end of 1909 FT sent his luxurious giant format magazine '*Poesia*' to print with the word *Futurismo!* written in red, with which he dragged it away from symbolism and the Liberty style into the new world of aesthetics, speed, provocation, and a slap and a punch, later writing, "We repudiate our symbolist masters, the last lovers of the moon".
Following D'Annunzio's costly "sporting" passions (he bought a *Torpedo* in 1908 and attained his pilot's licence at the airport of Montechiari which supported his heroic interventionist undertakings), FT conquered the gossip scene in the literary salons exalting the new cult of speed: his photo at the steering-wheel of a legendary Isotta Fraschini and the serious accident that followed on leaving the very same factory (October 15, 1908) immediately made the rounds of the newspapers and magazines. Thus the much gossiped about FT burst onto the Parisian scene in spectacular style with the publication of *Manifesto* in "Le Figaro" (February 20, 1909) and with the novel *Mafarka il futurista*, placed in the index for obscenity (but translated into Italian in 1910), in which the poetics of the "words in liberty" joined the D'Annunzian "sensual love of the word". When Wright came to Florence, *Crepuscolo dei filosofi* by Papini (1906), *Cos'è il Modernismo* by Prezzolini (1908) and the futurist *Incendiario* by Palazzeschi (1910), of which FT proposed to distribute 700 free copies chiefly to those who would never have read it, were already in circulation in the city bookshops. So the new word of order (*Futurism!*) spread throughout the peninsula with the appearance of the usual group of provocateurs and the new winning strategy for which the word became action and information preceded occurrence.
Without fail, those evenings finished in shouts, pushes, kicks, punches and the throwing of vegetables. Let's glance at the dates of that frenetic 1910 when Frank arrived in Florence: on January 12 FT was in Trieste, on February 10 he was in Rome (with the *Manifesto della pittura* written by Boccioni), on February 15 he was in Milan (at the Lirico) and on March 8 in Turin (where Boccioni read the *Manifesto*), on April 20 he was in Naples (at Teatro Mercadante), and on July 8 in Venice (at the Fenice, after which, on April 26, leaflets were thrown from the top of Torre dell'Orologio in Piazza San Marco). This was the premise, along with many others, for the sensational futurist evening in Florence on June 29, 1911, with the historical "punitive expedition" of Marinetti, Boccioni, Carrà, Russolo and the exchange of blows between the two groups at the Giubbe Rosse.
Wright was undoubtedly a great story teller, even when he later recalled his great Florentine sentimental adventure: "we walked together...hand in hand...surrounded by the view and scent of roses. And later, at night...arm-in-arm...in the thick shadows of the moonlit wood".
But the romantic charm of the idyll in Fiesole soon cracked: Wright began to feel trapped, the prisoner of a withering but unreal dream of a midsummer night. And, in fact, at the start of July, in a letter to his friend Ashbee, he was already thinking of his return as soon as the contract with Wasmuth expired (at the start of September 1910). The flames of love had died down. It was time, for him at least, to return and face the reality there, on the analogue hill as his parents, to Taliesin, which was – to the letter – the resplendent hill of the strong emotional roots of his childhood.

FRANK LLOYD WRIGHT E FIRENZE E FIESOLE E VENEZIA

GIANNI PETTENA

Venendo dal nord, e potendo scegliere tra Milano, Venezia e Firenze, avevo scelto Firenze perché non c'erano dubbi: lì insegnavano Libera, Quaroni, Benevolo, in una facoltà di architettura dove erano stati attirati da Fagnoni, un preside con un sogno, e prima che Samonà a Venezia lo imitasse invitando Portoghesi, Aldo Rossi, Aymonino, Tafuri.
E a Firenze scoprii anche l'eredità di Michelucci: fra i docenti Ricci, Savioli, Detti e Gori e Morandi. E anche se piano piano mi rendevo conto che l'idea di architettura che vi si insegnava non corrispondeva proprio alla mia, che si andava ancora definendo, Ricci e Savioli avevano personalità e, seppur diversissimi, indipendenza di giudizi e di percorso. Savioli nei suoi lavori rivelava amore incondizionato per Le Corbusier, Ricci aveva rapporti evidenti con l'opera di F.L. Wright .
La casa sulla cascata, Casa Hoffmann, "Fallingwater", era stata appena pubblicata, con una nuova campagna fotografica, su "L'architettura" di Bruno Zevi, e Ricci stava completando il suo villaggio sulle pendici di Monterinaldi, dove ci portò per un workshop, studenti del secondo anno, a fianco della sua casa, nei pressi di una cava di pietra.
L'assemblare le pietre in una maniera libera da ogni strategia compositiva classica mi aiutò allora a scoprire anche nel mio DNA un'attitudine che poi non avrei più perduto, anzi continuamente ridefinito: quella di ricomporre, in un contesto, i materiali che quel luogo offriva, in una sequenza e in un ordine adatto a fare lì posto anche al mio pensiero, o comunque a integrarmi con un luogo in cui si potevano scoprire le cose che vi erano da sempre, la natura, il paesaggio.
Una logica che F.L.Wright aveva seguito per Fallingwater, e anche Ricci a Monterinaldi, di fronte al colle di Fiesole, separato solo dalla valle del Mugnone, che lì si stringe, e Fiesole si vede accanto, quasi a toccarla. Anche quando fu possibile a Ricci di ridisegnare l'intero versante di Monterinaldi, lì si definiva, con una continuità concettuale e linguistica rara, come occasione per un artista, o un architetto, un brano di natura, riorganizzata in un insediamento abitativo che anche nel comprendere il sito si integrava con forza nel contesto. L'architettura cantava a voce piena, insieme alle altre voci del passato, e della natura forte, e della roccia scoscesa, e della vegetazione, un verde che contribuiva e contribuisce all'integrazione in un coro che canta una canzone nuova, eppure eterna. È ciò che si legge, sempre, nel lavoro di F.L.Wright, come a Fallingwater così in qualsiasi contesto, strettamente urbano o naturale, fino al punto di disegnare nei prospetti, ancora in fase di progetto, su nude facciate, sempre, anche il rampicante, che diventava esso stesso materia, materiale da costruzione, aiutando l'architettura a definirsi.
La battaglia, per Wright, era per il linguaggio del suo tempo, razionale, brutalista, funzionalista, ma la natura inserita nel pro-

getto aiutava questo a negoziarne l'impianto teorico con il mondo reale, il contesto, l'eterna forte presenza del passato, e del presente. Una strategia simile, attuata con strumenti diversi, ma ancora molto vicini, a quella di Giuseppe Terragni. Me lo immagino anche oggi, paladino della battaglia razionalista, a imporre il suo pensiero in un'architettura depurata dall'indigestione di materia, colore, decoro dell'eredità Beaux-Arts o Liberty, con la sua Casa del Fascio di Como a costruire, per contrasto, il dialogo con l'abside del duomo gotico. E non dormirci la notte, per la imposizione del suo manifesto al tessuto e al forte monumento della città storica. Il suo progetto è straniero, troppo diverso... Come negoziare le necessità della sua battaglia con una preesistenza così compatta e senza smagliature?
Ed ecco come: ciò che lì esiste è nato, e da migliaia di anni, e poi cresciuto e continuato, nella cultura occidentale, sotto il controllo della sezione aurea, fino al modernismo. Quindi anche ciò che il modernismo produce può, deve, seguire questo precetto. E così anche la Casa del Fascio lo segue. Ecco la continuità, ecco la strategia suturante l'apparente discontinuità: il sistema di controllo proporzionale della sezione aurea, della sequenza di Fibonacci, delle leggi che governano il mondo animale e vegetale. Se anche il progetto razionalista si sottopone a queste leggi, la continuità è salva, esiste, resiste, e Terragni e i suoi incubi notturni si riconciliano con il passato, e con la storia.
È con lui, in quel periodo, solo Libera che all'Eur, nell'edificio d'abitazione progettato, rivela la preoccupazione di controllare la facciata con la sezione aurea. E Le Corbusier con il suo Modulor? E Wright? Anche lui sente, ma forse non elabora alla stessa maniera, ciò che l'architetto europeo sente, sotto pelle, quasi nel suo DNA, dell'eredità storica del costruire. E certo tutto questo, e la forte presenza del passato e la sua integrazione con il contesto naturale, nel suo lungo soggiorno fiesolano deve averlo segnato, tanto che non molto tempo dopo, rientrato negli USA, produrrà un'architettura, quella di Taliesin West, così integrata al luogo da perdersi apparentemente in questo, ritrovandosi a parlare un linguaggio depurato da preesistenti strategie linguistiche e concettuali, uscito da lui con la naturalezza del solco di un canyon, o dell'alveo di un torrente tra le rocce.

FRANK LLOYD WRIGHT, FLORENCE, FIESOLE AND VENICE

Gianni Pettena

Coming from the north and being able to choose between Milan, Venice and Florence, I chose Florence because there was no question: Libera, Quaroni and Benevolo taught there, in a faculty of architecture they had been drawn to by Fagnoni, a dean with a dream, and before Samonà in Venice imitated him by inviting Portoghesi, Aldo Rossi, Aymonino and Tafuri.
I also discovered Michelucci's legacy in Florence: among the lecturers Ricci, Savioli, Detti, Gori and Morandi. And even if I slowly but surely realized that the concept of architecture taught there did not exactly correspond to my own, which was still being defined, Ricci and Savioli had personality and, even if very different, independent opinions and paths. Savioli's works revealed unconditional love for Le Corbusier, whereas Ricci had obvious affiliations with the work of Frank Lloyd Wright.
The house on the waterfall, Hoffmann House, "Fallingwater", had just been published with a new photo campaign in the magazine "L'architettura" by Bruno Zevi, and Ricci was completing his village on the slopes of Monterinaldi where he took us, second year students, for a workshop alongside his house, near a stone quarry. Stones assembled in a manner free from every classical compositional strategy at that time helped me to discover, in my DNA too, an attitude that I would never lose, on the contrary it was continuously redefined: the recomposition, within a given context, of materials found in that place, in a sequence and order that created space there for my idea, or in any case allowed me to integrate with a place where things that had always been there, like nature and the landscape, could be discovered.
A logic that Frank Lloyd Wright had followed for Fallingwater, and Ricci likewise at Monterinaldi, facing the hill of Fiesole, separated only by the Mugnone valley, narrow at that point, with Fiesole nearby, almost close enough to touch. And when Ricci had the opportunity to redesign the entire hillside of Monterinaldi, it was defined there too, with a rare linguistic and conceptual continuity, as an occasion for an artist or architect, a fragment of nature, reorganized into a housing settlement that, even comprising the site, integrated strongly with the context. Architecture sang out, together with other voices from the past, about potent nature, the craggy rock, the vegetation, a green that contributed and contributes to integration in a chorus that sings a new, if eternal, song. And this is what we always read in Frank

Lloyd Wright's work, just as at Fallingwater, so in any context, strictly urban or natural, up to the point of even drawing the creeper, which itself became matter, building material, on elevations still in the early design phases, on plain facades, helping architecture to define itself.
Wright's battle was for the language of his time, rational, brutalistic, functionalistic, but including nature in the design helped him negotiate its conceptual framework with the real world, the context, the everlasting strong presence of the past, and the present. A similar strategy, carried out with different tools, but still very close, to that of Giuseppe Terragni. I can imagine it even today, champion of the rationalist battle, imposing his idea on an architecture purified by the indigestion of matter, color, and decoration of the Beaux-Arts or Liberty legacy, constructing, with his *Casa del Fascio* in Como, for contrast, a dialogue with the apse of the gothic cathedral. And not staying the night there, due to the imposition of his manifesto on fabric and the strong monument in the historic city. His design is foreign, too different... How could the needs of his battle negotiate with such a compact flawless pre-existence?
Here's how: what exists there was created, over thousands of years, and then developed and continued, in western culture, under the control of the golden ratio, up until modernism. So even that produced as a result of modernism can, and must, follow this precept. Thus the *Casa del Fascio* also follows it. There's the continuity, there's the strategy bridging the apparent discontinuity: the proportional control system of the golden ratio, the Fibonacci sequence and the laws that govern the animal and plant world. If rationalist design also submits to these laws continuity is safe, it exists and resists, and Terragni and his nightmares are reconciled with the past, and with history.
Only Libera was with him in that period, who in the EUR district in Rome, in the designed residential building, revealed concern over using golden ratio in the design of the facade. And Le Corbusier and his Modulor? And Wright? He also felt, but perhaps did not process it in the same way, what the European architect felt, in his gut, almost in his DNA, about the historic legacy of building. And certainly, all this and the strong presence of the past and its integration with the natural contest must have marked him during his long stay in Fiesole, so much so that a short time afterwards, back in the USA, he produced an architecture, Taliesin West, so integrated in its location that it seemingly became one with it, finding himself speaking a language purified by pre-existing linguistic and conceptual strategies, which came forth from him with the naturalness of a crevice in a canyon, or the bed of a stream between rocks.

FIESOLE

All'inizio della sua carriera di architetto, 1900-1910, Frank Lloyd Wright riceveva generalmente dai suoi clienti richieste di costruire sui terreni pianeggianti nei dintorni di Chicago. Subito dopo il suo soggiorno a Fiesole nel 1910, progettò la sua casa/studio/fattoria chiamata "Taliesin" sul pendio di una collina. È un fatto generalmente accettato che il periodo trascorso in Italia in una residenza in collina, lo abbia esposto ad una diversa topografia e che Taliesin sia una dimostrazione di questa sua esperienza. Anne Whiston Spirn ha scritto con grande acume a proposito della reazione di Wright alle questioni concernenti il paesaggio, continuando il lavoro di Neil Levine, James Ackerman e Walter Creese. Ognuno di questi studiosi ha messo in evidenza come Taliesin ampli il modo in cui l'architettura di Wright risponde alle condizioni di terreni diversi. Le osservazioni seguenti riconoscono il loro lavoro, e allo stesso tempo enfatizzano la conseguenza più astratta e formale scaturita dal fatto che Wright abbia vissuto nella topografia movimentata di Fiesole.
Wright aveva celebrato il piano continuo di terra ed orizzonte nell'espressione "Prairie Style" (Stile Prateria), usata per descrivere le sue prime case. Il paesaggio piatto generava la chiarezza geometrica delle disposizione assiale delle stanze, delle terrazze e delle lunghe linee dei tetti, caratteristiche di queste costruzioni. La massa in muratura dei camini aiuta ad ancorare questi ambienti domestici all'infinito asse orizzontale, dando spesso alla casa una sembianza di "moli" che si estendono in un 'mare' tranquillo di giardini e prati.
Da bambino Wright visse in Wisconsin e trascorse le estati nella fattoria della famiglia materna vicino a Spring Green, tra colline ripide e valli che non avevano mai conosciuto ghiacciai. All'inizio della sua carriera professionale, le limitate occasioni di costruire su terreni topograficamente diversificati lo portarono a progettare cottages nel Michigan e 'boat houses' nel Wisconsin, la casa Glasner nell'Illinois e la casa Hardy nel Wisconsin in riva ad un lago. Ma quando Wright venne chiamato a progettare un ampio complesso di baite e capanne per il progetto "Como Orchards Summer Colony" nel territorio selvaggio del Montana, utilizzò un diagramma Beaux Arts per le assi principali e subordinate, e un piano di riferimento implicito per determinare l'altezza degli edifici con degli aggiustamenti minimi al terreno ondulato.
Nel 1910, mentre era impegnato a realizzare i disegni per il folio dei suoi lavori che sarebbe stato pubblicato a Berlino da Ernest Wasmuth, Wright si trasferì in una casa nella cittadina collinare di Fiesole, in Italia. Lavorare, camminare e rilassarsi nelle strade e sulle terrazze che si affacciano sulla valle diedero a Wright un nuovo senso del rapporto fra gli edifici ed il terreno.
Fin dall'inizio, lo scopo di Wright era creare un'architettura di "calma" e di "armonia", disciplinando la capricciosa imprevedibilità delle variazioni "pittoresche" usando la sintassi "classica" senza un vocabolario "classico". "La prateria," e il "piano continuo" citati da Wright, contribuirono ad una tradizione architettonica di controllo formale o di riferimento contro il quale le sue variazioni spaziali e materiali potevano essere efficacemente svolte.
Le cittadine collinari italiane mostravano un nuovo tipo di unità organica, un tipo diverso di armonia che poteva essere ottenuto senza dipendere dai piani e dalle linee convenzionali della geometria. Nelle ville sulle colline intorno a Firenze, l'aristocrazia rinascimentale toscana aveva costruito ampie terrazze per assicurare che il decoro non fosse turbato dal dover stare attenti ai propri passi.
A Fiesole Wright poté rendersi conto di come adattamenti locali potevano rispondere alle variazioni del terreno invece di esercitare un controllo totale. Wright celebrò esplicitamente la specificità della Toscana nella sua introduzione al portfolio Wasmuth: "Nessuno edificio italiano appare fuori luogo in Italia... [collocato] in modo naturale quanto i sassi, gli alberi e le pendici con giardini che formano un tutt'uno." La tipica città italiana in collina era qualcosa di molto diverso dalla tipica fattoria dello Wisconsin che Wright conosceva, se non altro per il semplice fatto che le fattorie del Midwestern non sono solitamente in cima ad una collina.
Nella sua evoluzione come architetto, accettare la varietà topografica piuttosto che creare una terrazza artificiale od un plinto, signi-

ficò che Wright dovette espandere i suoi metodi consolidati per ottenere un controllo formale. Far sì che l'edificio avesse delle linee mosse non solo all'interno, ma anche rispetto al terreno, indicava un nuovo senso di padronanza, da parte di Wright, tra il rigore convenzionale e la libertà particolare. Il modo in cui le linee delle travi e delle grondaie di Talisien seguivano e si adattavano alle variazioni topografiche, ribaltava il precedente rapporto che catturava gli spazi abitabili fra le linee orizzontali della struttura ed il piano del tipico appezzamento suburbano dell'Illinois.

La vita che Wright condusse con la sua 'anima gemella' Mamah Borthwick Cheney a Fiesole era meno rigida di quella che avevano conosciuto a Oak Park, Illinois, sotto molti punti di vista. Non solo il terreno su cui sorgeva la cittadina era molto vario, ma in confronto a precedenti esperienze di limitazioni e costrizioni dovute alla famiglia o alla comunità, questo turista/ artista si trovava in una regione italiana famosa per la sua cultura, accompagnato da una donna che non era sua moglie, e ciò fece si che la sua vita fosse più varia, sia sotto il profilo del lavoro che quello personale, di quanto fosse mai stata in precedenza. Quando Wright progettò Taliesin, furono poche le tracce della sua disciplina precedente, che utilizzava moduli progettuali e simmetrie od assi impliciti, a condizionare il collocamento di Taliesin sulla collina, che potremmo definire anch'esso "rilassato". Ciò che certamente possedeva, era un modo innovativo d'indirizzare l'intersezione o la sovrapposizione di forme naturali ed architettoniche.

Come aveva scritto Wright all'inizio della sua carriera, quando progettava abitazioni per i terreni piani di Chicago: se non potete armonizzare la casa con l'ambiente naturale circostante, almeno cercate "di essere sobri, essenziali ed organici quanto lo sarebbe la natura stessa se avesse l'opportunità' di farlo." (1894) Questa interessante asserzione suggerisce che la "natura" aveva un contributo preferenziale da dare all'architettura. La "natura" dell'appezzamento di Oak Park, Illinois, richiedeva intereventi compositivi da parte dell'architetto. La topografia più "attiva" di Fiesole e Taliesin creava spinte e trazioni delle forme architettoniche con modalità simili a quelle utilizzate precedentemente da Wright nel dar forma a superfici, volumi ed elementi decorativi. Il piacere che Wright trovava, anni più tardi, nel guidare intorno a Taliesin, è la trasposizione corporale dei gesti della sua mano e della sua matita sul tavolo da disegno, un'azione che collegava un'attività bidimensionale ad una tridimensionale, un elemento centrale dell'arte di Wright, che egli aveva appreso da fonti significative durante la sua carriera, prima fra tutte le decorazioni di Louis Sullivan.

Wright definisce Sullivan il suo "caro maestro", ed afferma che ciò che aveva appreso dagli elementi decorativi di Sullivan erano le implicazione strutturali secondo i principi di "continuità" e "plasticità". La cittadina di Fiesole offriva una nuova possibilità di esplorare queste due caratteristiche cruciali della sua architettura includendo le forme del terreno nella composizione di elementi strutturali e decorativi. La "plasticità" che Wright vedeva negli elementi decorativi di Sullivan risultava in una variazione espressiva degli aggetti e delle rientranze. Secondo Wright, l'elemento decorativo non era "sopra" lo sfondo ma scaturiva da esso. Si rese conto che l'edificio ed il terreno potevano essere in una relazione reciproca analoga, basata non sul dominio ma su un rapporto reciproco controllato dall'architetto. La plasticità di Wright è maggiormente evidente nelle masse "statuarie" e nella manipolazione di muri, di sporgenze di tetti e nella variabilità dell'altezza dei soffitti. La "continuità" è evidente nell'indeterminatezza della separazione fra edificio e "non edificio", un modo per descrivere la modalità in cui l'involucro non è semplicemente una barriera fra il fuori ed il dentro, ma una composizione di sporgenze e rientranze che connette l'esterno e l'interno.

Taliesin crea una connessione tra il terreno e l'edificio, un rapporto che Wright vedeva evidentemente nei muri di contenimento, nelle terrazze e nei vicoli di Fiesole. Se immaginiamo il limite del crinale

prima che venisse costruita Taliesin e poi individuiamo quale fu il primo intervento di Wright, si possono notare i preparativi che vennero fatti prima della costruzione della casa, dello studio e delle strutture della fattoria. Sul pendio settentrionale della collina, il più ripido, fu ritagliata una cengia. Lo spazio così risultante è delimitato dalla collina stessa e dalla costruzione al di sotto della sommità della collina. Dall'interno dell'edificio non è possibile vedere oltre la collina, lo sguardo si ferma al muro di contenimento. Spingere l'edifico al limite della cengia o terrazza, piuttosto che far arretrare la casa contro il muro di contenimento, ha creato uno spazio intermedio delimitato da un lato dalla collina e dall'altro dall'edificio. Per sfruttare al massimo questo spazio magico, Wright vi ha inserito una piscina, un sedile, delle scale ed una panchina di pietra semi-circolare sotto le due querce che furono lasciate intatte durante i lavori. Al di là di questa manipolazione della topografia, in cima alla collina una torre ancora il ponte che attraversa il cortile per collegarsi con gli edifici inferiori con funzione di accesso alla parte del complesso destinata alla fattoria. Wright aveva utilizzato un ponte al secondo livello nella casa Coonley, che aveva completato appena prima di partire per l'Europa, e l'avrebbe utilizzato di nuovo nel progetto Sherman Booth, a cui lavoro subito dopo il suo ritorno nel 1911. Quindici anni più tardi a "Ocatillo", nel deserto dell'Arizona, Wright collocò, intorno ad una modesta altura, varie strutture non soggette a legami ortogonali ma disposte secondo la sua nuova pratica di geometria con angoli di 30-60 gradi. A Taliesin terreno e struttura si estendono, recedono e si proiettano sulla collina a dimostrazione della plasticità e della continuità di Sullivan non solo a livello di edificio, ma anche del suolo.
Quando guardiamo Taliesin, sia in foto d'epoca che in altre più recenti, vediamo un edificio che dialoga con il terreno in due modi diversi. Dal fondovalle, si offre al nostro sguardo una fortezza simile ad un dirupo, alta, rinchiusa da mura, niente affatto accogliente, come Norris Kelly Smith (Frank Lloyd Wright: A Study in Architectural Content: 1966) ed altri hanno sottolineato. Le cittadine collinari italiane presentano lo stesso aspetto difensivo dato che questo era uno dei motivi principali della loro stessa esistenza. Ma una volta entrati nei fortini di Fiesole e Taliesin, dopo esser saliti sul pendio, le proporzioni cambiano e ciò che prevale è un senso di accogliente intimità. Il legame fondamentale è evidente nella fotografia che mostra come la collina venne sbancata e contenuta da un muro, con l'accesso offerto da gradini che portano ad una esedra e ad un prato sagomato. L'opera di disboscamento e modellatura della vetta della collina furono portate a compimento con la posa di lastre irregolari di pietra calcarea che appaiono come sporgenze rocciose. Questa retorica del "naturale", l'intersezione di artifici architettonici e paesaggistici, fu coronata della collocazione di una grande vasca di ceramica che conclude questa geologia composta. Lo sviluppo orizzontale e verticale di Taliesin sul fianco della collina richiedettero interventi di sostegno sempre più difficili e complicati. L'estensione lungo il pendio era in continuità con un alto muro di basamento che sostiene il livello abitabile aperto, una soluzione che aveva utilizzato in precedenza e che avrebbe ripreso spesso nei successivi progetti in collina. Nonostante i numerosi cambiamenti che erano endemici all'uso che Wright faceva di Taliesin, il legame fra il cortile, la casa e la collina non fu mai compromesso. Conservare questo luogo unico dove il paesaggio e l'architettura si incrociano, dimostra quanto ciò fosse importante per Wright.
Il cortile di Taliesin e il luogo dove l'approccio originale all'integrazione fra edificio e terreno è maggiormente evidente. Qui le lezioni che Frank Lloyd Wright aveva appreso durante il suo soggiorno a Fiesole sono chiaramente esemplificate. Stabilire se Taliesin sia più vicina ad un borgo collinare italiano o ad un tempio giapponese non è essenziale quanto la maniera in cui Wright assorbiva e trasformava il mondo in cui viveva con eccezionale potere interpretativo. Fiesole fu uno stimolo per una immaginazione pronta a riceverlo. Taliesin è il capolavoro che ne risultò.

WHAT FRANK LLOYD WRIGHT LEARNED IN FIESOLE

Sidney K. Robinson

At the beginning of his architectural career, 1900-1910, Frank Lloyd Wright's clients generally asked him to build on flat sites around Chicago. After his stay in Fiesole in 1910 he immediately designed his house/studio/farm called "Taliesin" for a hillside site. It is an accepted proposition that his Italian hill town residency exposed him to a different topography and that Taliesin is evidence of this experience. Anne Whiston Spirn has written insightfully about Wright's response to landscape matters, following on the work of Neil Levine, James Ackerman, and Walter Creese. Each of these scholars has noted how Taliesin expands the way Wright's architecture responds to site conditions. The following observations acknowledge their work while emphasizing the more abstract, formal consequence of Wright having lived in the varied topography of Fiesole.

Wright had celebrated the continuous level of land and horizon in the phrase "Prairie Style" used to describe his early houses. The flat landscape set up the geometric clarity of axial room arrangements, terraces, and long roof lines characteristic of these houses. The masonry masses of chimneys helped anchor these domestic environments on the endless horizontal, often giving the houses an image of "piers" extending into a calm "sea" of gardens and lawns.

As a child Wright lived in Wisconsin and spent summers on his mother's family's farms near Spring Green set among abrupt hills and valleys that had not been scraped by glaciers. As a young professional his limited opportunities to build on topographically varied sites included cottages in Michigan and boat houses in Wisconsin on hillsides, the Glasner house in Illinois and the lakeside site of the Hardy house in Wisconsin. But when Wright was called upon to layout an extensive complex of lodges and cabins for the Como Orchards Summer Colony project in the wilderness of Montana, he relied on a Beaux Arts diagram of main and subordinate axes and an implied level or datum to determine consistent building heights with only minor adjustments to the rolling terrain. Then in 1910 Wright, while working on drawings for the folio of his work to be published in Berlin by Ernst Wasmuth, took up residence in a house in the Italian hill town of Fiesole. Working, walking, and relaxing on streets and terraces overlooking the valley provided Wright with a new sense of the relation of building to land.

From the beginning, Wright's goal was to create an architecture of "repose" and "harmony" by disciplining the waywardness of "picturesque" variations using "classical" syntax without "classical" vocabulary. "The prairie," the continuous "level" cited by Wright, contributed to an architectural tradition of formal control or reference against which his spatial and material variations could be effectively played.

The Italian hill towns showed him a new kind of organic unity, a different kind of repose that could be achieved without depending on the conventional planes and lines of geometry. In their villas in the hills surrounding Florence, the Renaissance Tuscan aristocracy constructed extensive terraces to ensure that propriety would not be interrupted by having to watch your step. In Fiesole, however, Wright saw how vernacular adjustments responded incrementally to site variations rather than exercising an overreaching command. Wright explicitly celebrated the vernacular of Tuscany in his introduction to the Wasmuth portfolio: "No really Italian building seems ill at ease in Italy. . . [placed] as naturally as the rocks and trees and garden slopes which are one with them." The Italian hill town vernacular was something very different, however, from the Wisconsin farmstead vernacular Wright already knew, if for no other reason than Midwestern farms are not usually at the top of hills.

In Wright's evolution as an architect, embracing varied topography rather than setting up an artificial terrace or plinth required him to expand his familiar means for achieving formal control. To let the building itself move, not just internally, but with respect to the ground signaled a new sense of mastery of the dialog Wright engaged between conventional rigor and circumstantial freedom. The way Taliesin's ridge- and eave –lines followed and adjusted to changes in topography reversed the previous relationship that captured living spaces between the architecture's level lines and the plane of the typical suburban Illinois lot.

The life Wright led with his "soul-mate", Mamah Borthwick Cheney, in Fiesole was less structured than what they knew in Oak Park, Illinois on a number of levels. Not only was the hill town terrain varied, but compared to previous experiences of family and community restrictions, this artistic visitor to a celebrated cultural region of Italy, accompanied by a woman not his wife, lived a more varied life of work and leisure than he had known before. When Wright came to design Taliesin, only traces of his previous discipline of planning modules and implied axes or symmetries guided the placement of Taliesin into the hill. It too was "relaxed" in many ways. What it did have, however, was a new way of directing the intersection or overlap of architecture and land form.

As Wright had written when he was beginning his career, and designing for those flat Chicago lots: If you cannot shape the house to sympathize with the natural surroundings, then "try to be as quiet, substantial, and organic as she would have been if she had the chance." (1894) This intriguing proposition suggests that "nature" had a preferred contribution to make to architecture. The "nature" of the Oak Park, Illinois sites needed compositional interventions from the architect. The more "active" topography experienced in Fiesole and subsequently engaged at Taliesin pushed and pulled the architectural forms in ways similar to his previous shaping of surfaces, volumes, and ornaments. Wright's pleasure in riding the grader around Taliesin in later years is a whole-body enactment of his hand and pencil on the drafting board that linked two and three dimensional activity, a central aspect of Wright's art that he learned from significant sources during his career, beginning with the ornament of Louis Sullivan.

Wright cites Louis Sullivan as his "dear master," and clarifies what he learned from Sullivan's ornament was its structural implications according to the principles of "continuity" and "plasticity." The Tuscan hill town provided a new venue to explore these two critical characteristics of his architecture by including land form in the composition of ornament and architecture. The "plasticity" Wright saw in Sullivan's ornament produced an expressive variation in projections and recesses. As Wright characterized it, the ornament was not "on" the background, but rose out of it. He came to realize that building and site could be similarly related, not through domination, but through mutual responses directed by the architect. Wright's plasticity is most evident in his "sculptural" massing and manipulation of walls and roof projections and in the variable ceiling heights. "Continuity" appears not only in the complex blurring of building and "not-building," a way of describing how the envelop is not a simple barrier between inside and out, but a composition of projections and recesses that makes inside and out interlock.

Taliesin interlocks the ground and the building, a relationship Wright manifestly saw in the retaining walls, terraces and byways of Fiesole. If you imagine the end of the ridge before Taliesin was built and then recognize what intervention Wright took first, you can see how he prepared for the construction of the house, studio, and farm facilities. A ledge was cut into the hillside on the north slope, the steepest contour of the hill. The resulting space is bounded by the hill itself and the building below the crown of the hill. From within the building you cannot see over the hill, only into the retaining wall. Pushing the building to the edge of the ledge or terrace, rather than backing the house up to the retaining wall, created an intermediate space contained on one side by the hill and on the other by the building.

To enjoy this magical place, Wright placed a pool, a seat, stairs, a semi-circular stone bench under the two oak trees that he carefully avoided as he cut into the hill. Beyond this manipulation of the topography, at the top of the hill a tower anchors the bridge that spans over the courtyard to link with the lower buildings as a gateway to the farm portion of the complex. He had used the second level bridge in the Coonley house completed just before he left for Europe, and was to use it again in the Sherman Booth project designed right after returning in 1911. Fifteen years later, in his desert camp in Arizona, "Ocatillo," Wright arranged around a low hill various structures loosened from orthogonal relationships by his newly exercised geometry of 30-60 degree angles. At Taliesin land and buildings span, recede, and project over the hill as demonstrations of Sullivan's plasticity and continuity at the scale not only of the building, but of the land as well.

When we look at Taliesin, either in historical or recent photographs, we can see a building that poses itself in two ways on the terrain. From the valley floor, we see a cliff-like fortress, high, walled, anything but welcoming as Norris Kelly Smith (*Frank Lloyd Wright: A Study in Architectural Content*: 1966) and others have pointed out. The Italian hill towns exhibit a similar defensiveness because that is why they were built in the first place. Once admitted to the redoubt of Taliesin or Fiesole, after climbing up the slope, the scale changes and a welcoming intimacy prevails. The key relationship is evident in the photograph that shows how the hillside was cut, retained by a wall, accessed by steps to an exhedral bench to what became a shaped lawn. The clearing of trees and the shaping of the hill crown were finally concluded by placing irregular limestone slabs to look like a rock outcrop. This rhetoric of the "natural," the intersection of architectural and landscape artifice, was finally punctuated by placing a large ceramic bowl to terminate the composed geology.

The growth of Taliesin was always along the hill, or down the slope requiring increasingly challenging support conditions. The downhill extensions continued the composition of a high basement wall supporting the open living level, an arrangement that he used before and extensively afterward on his hillside projects. However, over the many changes that were endemic to Wright's use of Taliesin, the relationship of courtyard, house, and hill was never compromised. Protecting this unique place where land and architecture intersected, proves how significant it was for Wright.

The Taliesin courtyard is where the different approach to integrating land and building is most evident. Here the lessons Frank Lloyd Wright learned while he lived in Fiesole are most clearly demonstrated. Whether Taliesin is more an Italian hillside village or a Japanese temple compound is not so important as how Wright absorbed and transformed the world he inhabited with such interpretive power. Fiesole provided a stimulus to a prepared imagination. Taliesin is the masterful result.

VISTA ESTERNA DA SUD DELL'ALA DELLE CAMERE DA LETTO E DELLA TERRAZZA DI TALISIEN. TALISIEN ERA LA CASA DI FRANK LLOYD WRIGHT. LA VIA D'ACCESSO È VISIBILE NELLO SFONDO. TALISIEN È NEI PRESSI DI SPRING GREEN, WISCONSIN.

Exterior view of the bedroom wing and terrace of Taliesin, as viewed from the south. Taliesin was the home of Frank Lloyd Wright. The entrance road is visible in the foreground. Taliesin is located in the vicinity of Spring Green, Wisconsin.

PANORAMA GUARDANDO VERSO TALIESIN, LA CASA DI FRANK LLOYD WRIGHT.
LA VISTA MOSTRA, DA SINISTRA A DESTRA, L'ESTERNO DEL SALOTTO, LO SPAZIO DI LAVORO, E LE STALLE DELLE CARROZZE E DEI CAVALLI. TALIESIN È UBICATO NEI PRESSI DI SPRING GREEN, WISCONSIN.

Landscape looking towards Taliesin, the home of Frank Lloyd Wright, from the northeast. This view shows, left to right, the exteriors of the living room, the workspace, and the carriage and horse stalls. Taliesin is located in the vicinity of Spring Green, Wisconsin.

UNA FOTO PANORAMICA DI WHITTIER HILL A HILLSIDE HOME SCHOOL, UNA SCUOLA ALL'AVANGUARDIA GESTITA DA ELLEN A JANE LLOYD JONES, ZII DI FRANK LLOYD WRIGHT.

A landscape photograph of Whittier Hill at Hillside Home School, an early progressive school operated by Ellen and Jane Lloyd Jones, aunts of Frank Lloyd Wright.

ARCHITETTURA E NATURA: NUOVI ASPETTI COMPOSITIVI

ULISSE TRAMONTI

Il progetto per la casa-studio di Fiesole, elaborato da Frank Lloyd Wright nel giugno del 1910, non suggerisce apparentemente nessuna innovazione rispetto a quella tipica tendenza compositiva dello stile *prairie,* propria delle realizzazioni collocate in gran parte nel Parco delle Querce, esclusivo sobborgo alto borghese di Chicago. Case isolate, concepite internamente attraverso una spazialità che era espressione della dilatazione della conformazione pianeggiante del paesaggio che le conteneva e allo stesso tempo ferma presa di possesso del luogo, attraverso un osmotico scambio fra architettura e natura. Case che scaturivano anche dall'assimilazione della lezione che il tardo stile vittoriano aveva impresso all'architettura, primo fra tutti quel perfetto connubio tra artificio e natura. È lo stesso modo con cui Wright disegna i suoi progetti, a contribuire e rendere immediatamente percepibile il rapporto architettura-natura: spesso come del resto nella villa-studio di Fiesole i progetti vengono raccontati attraverso prospettive parzialmente occultate da una vegetazione che a tratti dilaga in maniera dirompente e a tratti appare invece ordinata in uno iato che risponde, attraverso la latina *ars topiaria,* ad una razionale volontà di dominio su di essa. Il paesaggio fiesolano era ben altra cosa: dal villino Belvedere lo sguardo era condotto verso Firenze e le sue colline, come aveva annotato Henry James "attraverso cento gradazioni della distanza". Le suggestioni di quell'inizio estate del 1910, avevano certamente affascinato Wright e l'amata Mamah Cheney, incantati dalla magia delle "sere fiesolane", tra quel mutare del colore delle colline al tramonto che passava da "un bel blu nitido ed un morbido violetto di intensità luminosa e stupenda" che Hermann Hesse aveva annotato dieci anni prima nel suo *Diario Italiano,* assicurando di aver visto qualcosa di simile "solo negli sfondi dei quadri del Tiziano". Ed ecco l'idea di un progetto per una villa-studio, un piccolo progetto che al di là delle apparenze contiene un preciso frammento di evoluzione che mette a punto tutte quelle caratteristiche sulle quali si consolida quella precisa identità toscana, in cui tratti distintivi erano fissati da quegli straordinari manufatti, saldati da un'alleanza antica e consolidata con la natura del paesaggio fiesolano. Il progetto della villa-studio è articolato su di una scomposizione di piani che porta ad una dilatazione dello spazio interno generato dal susseguirsi di temi compositivi vincolati fra loro da una totale coerenza sintattica. Questa dilatazione centrifuga parte dal focolare, accoppiato alla scala che porta al piano superiore, e inteso come fulcro concreto e simbolico di questa disarticolazione; non esistono simmetrie e la fluidità dello spazio è totale, fluidità abitata da ambiti differenziati, realizzati a loro volta dallo studio dell'arredo. Il progetto di Fiesole è abbozzato ed insufficiente ad essere considerato il suggello di un definitivo cambio di rotta nel rapporto fra architettura e natura, se non si avessero a disposizione gli esempi successivi di Taliesin, esempi dove la variazione di questo rapporto è fattivamente pronunciata e messa in pratica dando ai valori del proprio organicismo una serie nuova di valenze.

ARCHITECTURE AND NATURE: NEW COMPOSITIONAL ASPECTS

ULISSE TRAMONTI

The design for the house-studio in Fiesole, developed by Frank Lloyd Wright in June 1910, does not outwardly suggest any innovation compared to those typical compositional trends of the Prarie style, characteristic of the works located for the most part in Oak Park, an exclusive upper-class suburb of Chicago. Isolated houses, conceived internally through a spatiality that was an expression of the expansion of the flat landscape that contained them and at the same time taking firm possession of the place, through an osmotic exchange between architecture and nature. These houses also arose from assimilation of the lesson that the late Victorian style had impressed on architecture, primarily that perfect union between artifice and nature. This was the same method Wright used to design his projects, contributing to and making the relationship between architecture and nature immediately perceptible: often, just as for the villa-studio in Fiesole, the designs are revealed through perspectives partially hidden by vegetation that bursts forth explosively in places and instead appears orderly in others, in a hiatus that responds, through the Latin *ars topiaria,* to the rational wish for dominance over it. The Fiesole landscape was another thing altogether: from Villino Belvedere the gaze was directed towards Florence and its hills, as Henry James noted, "into a hundred gradations of distance." The impressions of the start of that summer of 1910 certainly fascinated Wright and his beloved Mamah Cheney, enchanted by the magic of the "Fiesole evenings" among that muting of colors on the hills to the sunset that changed from "a beautiful clear blue and soft violet of bright and stupendous intensity," which Hermann Hesse had made a note of ten years earlier in his *Italian Diary,* swearing to have seen something similar, "only in the backgrounds of paintings by Titian." Hence the idea for the design of a villa-studio, a small project that beyond appearances contains a specific fragment of evolution that defines all those characteristics on which that specific Tuscan identity is consolidated, where distinctive features were determined by those extraordinary structures, bound by an ancient and consolidated alliance with the nature of the Fiesole landscape. The design of the villa-studio is articulated around a decomposition of floors that leads to an expansion of the internal space generated by a succession of compositional themes bound to each other by an overall syntactical coherence. This centrifugal expansion starts from the fireplace, coupled with the staircase that leads to the upper floor, and is intended as a concrete and symbolic fulcrum of this disarticulation; there are no symmetries and the fluidity of the space is total, a fluidity inhabited by differentiated fields, in turn created by the study of the furnishings. The Fiesole design is just a draft and thus insufficient to be considered as the seal of a definitive change of course in the relationship between architecture and nature, without having the subsequent examples of Taliesin available, examples where the change in this relationship is positively pronounced and put into practice providing the values of its organicism with a series of new values.

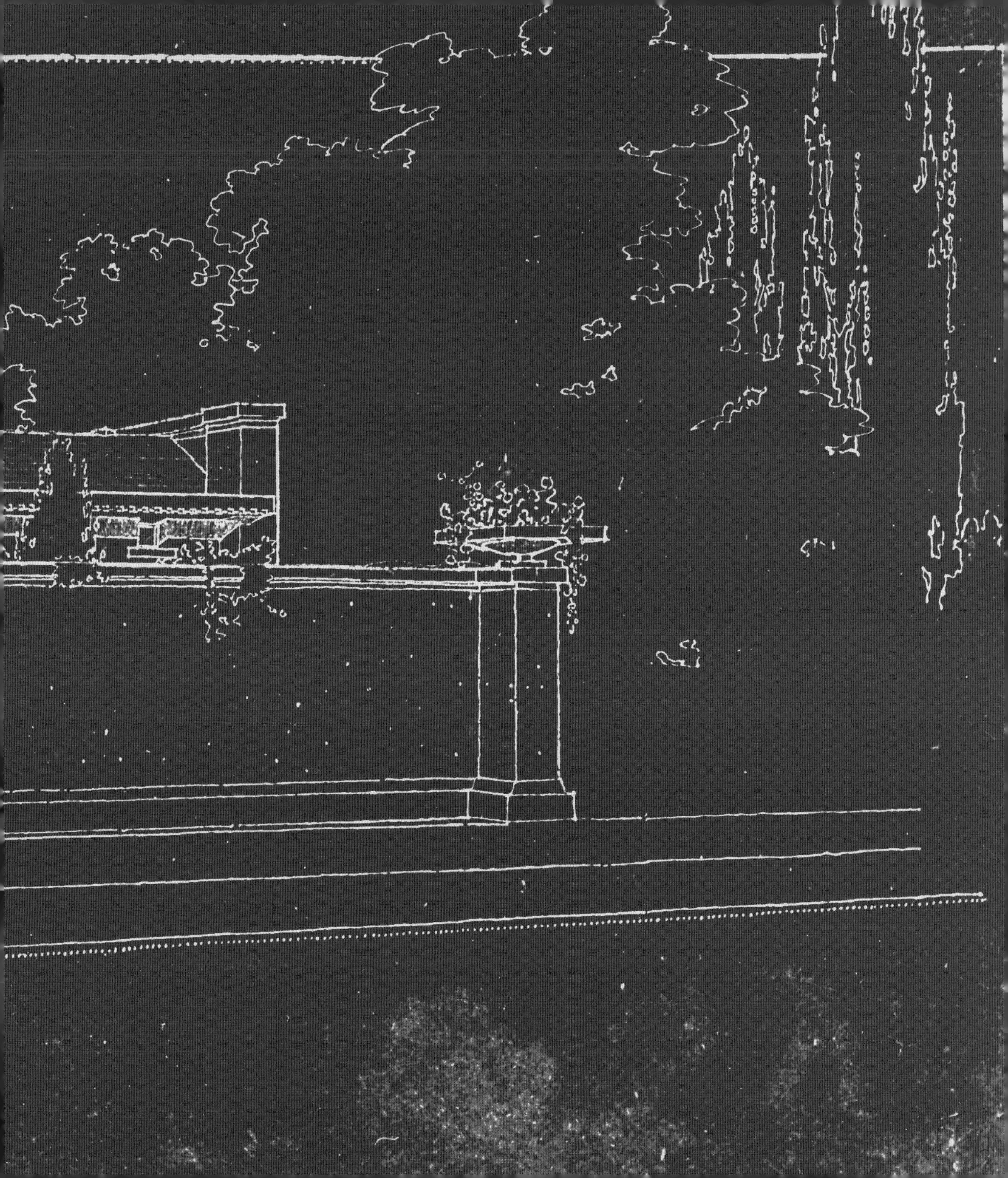

LA LETTERA MAI SPEDITA

ROBERTA BENCINI

È datata **10 Giugno 1910 Villino Belvedere Fiesole** la lettera che Frank Lloyd Wright scrisse a Walter Burley Griffin, uno dei suoi collaboratori, riguardo al fatto che Griffin non apprezzasse le stampe giapponesi che gli erano state affidate per una vendita.
Wright considerò una grave offesa, una vera ferita lo scontento di Griffin in un momento così difficile della sua vita e così si sfogava:*"come tutti sanno ho già avuto momenti sfortunati, senza dover ora render conto della cattiva fede di una persona in cui ho riposto fiducia più del dovuto"*.
Taylor Wolley, il collaboratore che era in Italia insieme a Wright, che doveva spedire la lettera non la inviò ed ora è conservata con la busta mai spedita presso la University of Uhah Library.[1]
Questo fatto ci permette di datare con certezza la presenza di Wright a Fiesole all'inizio del mese di Giugno, dove aveva preso in affitto il Villino Belvedere per soggiornarvi con Mamah Bortwick Cheney, che, dopo poco, lo avrebbe raggiunto da Berlino. La casa di Fiesole era, seppure piccola, molto più confortevole di quella che Wright aveva abitato al suo arrivo in Italia. È infatti nella primavera del 1910 che Frank Lloyd Wrigth arriva a Firenze, una delle ultime tappe del viaggio iniziato il 20 Settembre 1909 quando, lasciata Chicago, era partito alla volta dell'Europa dando inizio a quello che egli stesso,nella sua autobiografia,definirà "l'esilio".
La ragione del viaggio, o per meglio dire, la scusa, era la pubblicazione della monografia che avrebbe poi preso il nome di Wasmuth; in realtà partiva per l'Europa in compagnia di Mamah Bortwick Cheney, colei che sarebbe stata il suo grande amore, pervaso da uno spirito di ribellione per il modo in cui aveva vissuto fino ad allora, e dunque intenzionato ad imprimere una svolta radicale alla sua esistenza.
Aveva perciò accettato l'invito di curare una monografia delle sue opere per l'editore Ernst Warsmuth a Berlino e qui giunge come prima tappa del viaggio in Europa per definire il contratto che sarà poi sottoscritto alla fine di Novembre.
Durante l'inverno del 1909, la coppia viaggia per l'Europa,visita Berlino e si ferma a Parigi, da dove però Mamah ripartirà per tornare in Germania con un contratto d'insegnante di lingue all'Università di Lipsia.
Arrivato in Italia, nel marzo 1910, Wright si stabilisce a Firenze, dove lo raggiungono dall'America due collaboratori per aiutarlo a preparare i disegni per la monografia. Uno di questi è Taylor Woolley, che già lavorava nello studio di Oak Park: *"un disegnatore sensibile, un Mormone di Salt Lake City... che, sebbene zoppo, era attivissimo, zelante e un gran lavoratore."*[2]
Il secondo disegnatore è il figlio diciannovenne, Lloyd. Quando il giovane arriva a Firenze,va ad abitare con Woolley ed il padre in un villino chiamato Fortuna proprio sotto il Piazzale Michelangelo.
Lloyd in una lettera del 1966 indirizzata a Linn Cowles così descriverà il villino:
"Al di là della strada c'era un convento circondato da mura con le campane e olivi intorno alle mura. Il villino aveva due ali che si aprivano su un piccolo cortile interno. Una coppia di russi, affascinanti, che suonavano musica da camera occupava un appartamento e noi godevamo di questa colta e piacevole compagnia. Il nostro appartamento dava sulla strada e guardava il convento. Non c'erano tappeti sul pavimento in pietra ed era freddo. Noi tre ci apparecchiavamo in salotto e ci portavamo dentro bracieri per scaldare la stanza e soprattutto le nostre mani gelate, perché era la fine dell'inverno e dovevamo sgelare le nostre mani per fare un lavoro così importante e anche delicato."[3]
Pur in preda ad una profonda depressione causata dalla separazione da Mamah Cheney, Wright a Firenze lavora alacremente per organizzare e pubblicare la famosa monografia. Per preparare le tavole era infatti necessario ridisegnare molti progetti esistenti, in modo che fossero tutti in una scala uniforme. Almeno dieci disegni vennero copiati dalle fotografie pubblicate nel libro di Wright "*Documenti di architettura*", del 1908. I disegni, spediti da Chicago erano acquerelli, abbozzi disegnati, opera di disegnatori di studio,

disegni di Marion Mahony, collaboratrice storica di Wright, con tipologie di alberi molto elaborate.
Ma al Villino Fortuna la vita del grande architetto non era affatto serena come si coglie da quanto Wright scriveva al reverendo William Norman Guthrie, amico e cliente, chiedendo consigli sul suo futuro con Mamah.All'inizio di maggio Guthrie gli rispose,sottolineando tutti i problemi e le colpe di Wright: l'essere andato oltre lo *status quo*, l'aver abbandonato la famiglia, l'aver ricercato la propria libertà individuale. Certamente sapeva bene che per una persona eccezionale come Wright potesse essere difficile obbedire e sottostare alle regole, ma il rischio era quello di mettere a repentaglio la sua stessa capacità artistica.
E soprattutto sottolineava il fatto che il lavoro di Wright era sacro, voluto da Dio e quindi la sua vera ragione di vita**.**
All'inizio del mese di giugno 1910, dopo la parentesi fiorentina, di ritorno da Parigi, Wright trasferì casa ed studio a Fiesole dove aveva affittato il Villino Belvedere convinto che fosse il posto adatto, consacrato, per vivere la sua storia con Mamah Cheney. Al villino, situato in via Verdi, una stradina stretta a sud-est della Piazza Mino si accedeva attraversando uno stretto giardino circondato da mura e si entrava in uno studio con tavoli da disegno e i muri letteralmente ricoperti da disegni più o meno completati per la monografia Wasmuth. Al piano superiore c'erano un salotto e un soggiorno. In quel Villino Wright, forse sollecitato da Mamah che non voleva tornare in America, progettò la casa- studio ideale, anche se modesta, per artisti.
Questo significava che avrebbe voluto ritornarci, per realizzare il sogno, e il giardino circondato da mura, tipico della tradizione mediterranea diventerà fonte d'ispirazione per futuri progetti. Sul tema portò a compimento due progetti: due studi rispettivamente per la pianta del piano terreno e del primo piano e quattro in prospettiva. Al piano terra erano disposte un'anticamera ed un ingresso che si apriva sul giardino recintato; la zona abitativa era da un lato e lo studio di Wright sull'altro.In una soluzione Wright progettò l'entrata a destra, nell'altra a sinistra.
Analizzando la pianta a L del villino vi si ritrovano le linee principali della futura casa di Wright e Cheney a Taliesin, quella casa che lui avrebbe costruito nel Wisconsin nel 1911, poco dopo il ritorno in America.
Prima del progetto per il Villino di Fiesole, Wright aveva disegnato solo due studi per artisti. Uno di questi è pubblicato nella monografia Wasmuth dove al quarantaduesimo foglio,numerato XXX, compaiono fianco a fianco i disegni per "Casa Cheney", progettata e costruita nel 1904, ed il progetto "House for an Artist". Questo è l'unico caso in tutta la pubblicazione in cui i disegni di due diversi edifici sono pubblicati insieme su una stessa pagina quasi a voler suggellare un legame indissolubile fra Wright e Mamah Cheney.[4]
Nonostante la breve parentesi per il progetto della casa- studio, Wright era preda di frustrazioni e difficoltà; scriveva:
"*Io voglio vivere la mia vita, voglio vivere nella verità, voglio costruire la verità...ho tentato di farlo alla luce del sole. Mi hanno dato consigli e mi sono serviti a poco. La luce deve venire da dentro. La vita è vivere e vivere porta con sé la luce.*"[5]
Durante tutta l'estate la sua mente fu assorbita dalle preoccupazioni per la famiglia tanto che cominciò a progettare il ritorno in America:ai primi di luglio del 1910 i sensi di colpa avevano avuto la meglio; confidandosi con l'amico Charles Robert Ashbee dirà:
"C'era da combattere ed ho combattuto. Ora me ne torno a Oak Park per rimettere a posto il mio lavoro e la mia vita. Ricomincerò a lavorare tra le rovine, non da marito di una donna, ma come padre. Farò tutto quello che posso per loro. Verrò a trovarvi ai primi di settembre quando scade il contratto con Wasmuth."[6]
Nonostante l'angoscia, continuerà a lavorare per la monografia ed a viaggiare per la Toscana: *"Sono molto occupato in questo piccolo nido d'aquila sul ciglio della montagna sopra Fiesole- osservo incantato il rosa ed il bianco, Firenze che si distende nella valle dell'Arno-*

l'intero cuore fertile della terra sembra giacere tra le foschie mattutine o le schiarite di quel meraviglioso sole Italiano, opalescente, iridescente. Io vivo in un luogo meraviglioso dove lo spirito creativo dei Fiorentini, pittori, scultori architetti ha molto lavorato. Io sostengo che questi artisti hanno usato con maestria ogni mezzo espressivo e artistico."

Ai problemi personali si aggiungevano anche quelli di lavoro perché la pubblicazione della monografia procedeva con grande difficoltà,l'opera comprendeva 73 progetti che erano illustrati con 100 tavole, 12 prove di stampa erano state eseguite, ma la stampa delle migliori non ancora eseguita.

Wright si lamentava della lentezza della casa editrice, tanto che pensò anche di trovare un altro editore, ma alla fine decise di avere pazienza, consapevole che una pubblicazione così bella e importante, avrebbe fatto crescere il suo prestigio e gli avrebbe procurato nuovi incarichi.

Tuttavia, con la fine prossima del soggiorno fiesolano, era giunto il momento di dover affrontare la realtà del rapporto con Mamah, come si legge in una successiva lettera indirizzata ad Ashbee. "*Il Villino Belvedere è un posto delizioso e affascinante, con quel suo minuscolo giardino che sembra pendere sulla vallata - ma il mio lavoro e la mia vita s'avviano ad una conclusione* - La decisione di tornare in America è già presa: "arriverò in Inghilterra il 10 Settembre".

Dopo pochi giorni partirà infatti per Vienna, ultima tappa del viaggio in Europa.

Si chiude così dopo un anno la parentesi europea di Wright.

Da questa esperienza ne avrebbe ricavato un'indubbia influenza che è stata messa in evidenza da molti saggi. Quell'anno passato all'estero oltre ad essere stato una via di fuga dalla difficile situazione familiare, gli aveva anche dato l'occasione di organizzare le sue idee sull'architettura per la pubblicazione Warsmuth.Era inoltre riuscito a mettere in formato grafico per la monografia tutta la sua produzione e questo rappresenta un fatto unico che non ha riscontri in altri architetti americani ed europei.

Visitando le capitali d'Europa aveva potuto confrontare le tradizioni dell'architettura occidentale ed anche aveva cominciato a scrivere l'introduzione della monografia.

In tutta questa vicenda, come si è voluto evidenziare, esiste anche l'aspetto legato alle vicende personali che costituiscono un elemento importante per comprendere lo stato d'animo di un uomo ad un bivio, ma tuttavia consapevole di aver vissuto comunque un momento irripetibile quando scriverà: "*C'è qualcosa di bello in questa vita che renderà tutti coloro che ne sono stati toccati più forti, più ricchi, più sinceri. È forse una vana speranza? La crudeltà verso gli altri mi riempie di dolore, ma questo è il prezzo da pagare..."*[7]

1) Anthony Alofsin, *Frank Lloyd Wright.The lost Years 1910-1922. A study of influence*, University of Chicago Press, Chicago 1993, pag 337.
2) op.cit., pag 41.
3) op.cit., pag 335.
4) Robert McCarter, *Frank Lloyd Wright*, Bollati Boringhieri, 2008, pag 102.
5) Anthony Alofsin, *Frank Lloyd Wright.The lost Years 1910-1922. A study of influence*, University of Chicago Press, Chicago 1993, pag 52.
6) op.cit., pag. 53.
7) op.cit., pag. 56.

IL VILLINO BELVEDERE NEL 1940.

THE VILLINO BELVEDERE IN 1940.

THE UNSENT LETTER

Roberta Bencini

Dated **June 10th 1910,** Villino Belvedere Fiesole, the letter that Frank Lloyd Wright wrote to Walter Burley Griffin, one of his collaborator's, regarding the fact that Griffin did not appreciate the Japanese print that was entrusted to him for a sale. Wright considered Griffins discontent a grave offence at such a difficult moment in his life, venting: "*there is as anyone knows, enough at once unfortunate and true in my life without going into the ill will of men I once trusted for more than is true.*"[1]

Taylor Woolley, Wright's apprentice in Italy was to send the letter, however he didn't and today the letter is conserved in its original envelope in the library in the University of Utah.

This fact allowed us to specifically date the presence of Wright in Fiesole as being at the beginning of June. Wright rented Villino Belvedere together with Mamah Borthwick Cheney who would join her upon her return from Berlin. The house in Fiesole, although it was small, was much more comfortable than the first house he rented upon his arrival in Italy.

Infact, it was in the Spring of 1910 that Frank Lloyd Wright arrived in Florence, finishing the last leg of his journey in Europe. On leaving Chicago September 20th 1909, Frank Lloyd Wright considered this the beginning of his 'exile' as stated in his autobiography.

The reason for the trip or rather excuse was the publication of a portfolio which would later be known as the 'Wasmuth Portfolio'. In reality, Wright together with his great love Mamah Borthwick Cheney, left the States with the intention of drastically changing his life. Having accepted the invitation to put together the portfolio of his work for Ernst Wasmuth, a publisher in Berlin, he embarked upon the first leg of his European trip in order to finalize the contract. During the winter of 1909, the couple began their voyage to Europe. After visiting Berlin, they stopped in Paris where Mamah left to go back to Germany to take up a language teaching post at the University of Lipsia.

Arriving in Italy in March 1910, Wright settled in Florence where two of his apprentices came to meet him in order to help him prepare the drawings for the portfolio. One of these two was Taylor Woolley who had already been working in the 'Oak Park' studio. ..."*a sensitive draughtsman, a Mormon from Salt Lake City... though lame, was active, helpful and a hard worker.*"[2]

The second apprentice was Wright's 19 year old son Lloyd. Upon arrival in Florence, the young boy went to live with Woolley and his father in a small villa called 'Fortuna' located beneath the 'Piazzale Michelangelo'.

In a 1966 letter from Lloyd to Linn Cowles he described the villa: "*Across the street was a walled nunnery with its tinkling bells and olive trees reaching over the walls. The villino was divided into two parts opening from a tiny inner court. A charming Russian couple who played chamber music, their friends, had one apartment and we enjoyed the cultured company. We had the street apartment overlooking the nunnery. There were no rugs on the stone floor and it was cold. The three of us set up our tables in the living room and brought in braziers to warm the room and our freezing hands for it was the end of the winter season and we had to thaw out to do the essential and delicate work.*"[3]

Even with the onset of a deep depression caused by the separation from Mamah Cheney, Wright continued to work diligently to organize and publish the famous portfolio. In order to prepare the tables it was necessary to redesign many existing projects in a way that they were all to the same scale. At least ten drawings were copied from photographs published in Wright's 1908 book 'Documents of Architecture'. The drawings sent from Chicago were watercolors, rough sketches, apprentice designs and elaborate drawings of trees by Marion Mahoney, one of Wrights most significant collaborators.

At Villa Fortuna the life of the great architect Wright was not as calm and serene, proven by what Wright wrote to his friend and client Reverend William Norman Guthrie, asking advice about his future with Mamah. Guthrie answered him at the beginning of May, emphasizing the problems and blaming Frank Lloyd Wright for crossing the line, having abandoned his family in selfishly searching for his own individual freedom. Guthrie knew perfectly well that for an exceptional character like Wright, it would be difficult to obey and submit to society's rules. The risk however would be that his artistic capabilities may be compromised. Most importantly, Guthrie emphasized the fact that Wright's work was sacred, a gift from God and therefore his true calling in life.

In the beginning of June 1910, after his Florentine stay, on return to Paris, Wright moved his house and studio to Fiesole where he had rented the Villino Belvedere, convinced that it was the perfect place to continue his relationship with Mamah Cheney. At the villa, situated on Via Verde, a narrow street south east of Piazza Mino, one entered by way of a small garden surrounded by stone walls. The studio was filled with architect tables and the walls covered with designs more or less finished for the Wasmuth Portfolio. The second floor housed the living room and the lounge. In this villa Wright, encouraged by Mamah who did not want to return to America, designed an ideal but modest house/studio for artists. This indicated his will to return to realize his dream house with its typical walled Mediterranean garden that would inspire future projects. Within this theme he completed two projects: two studios were planned respectively, one for the ground floor, one for the first floor and the prospect of another four.

On the ground floor, a foyer and an entrance onto the walled garden was planned. The living area was on one side and Wright's studio on the other. In one design, he planned an entrance on the right side and in another plan the entrance was on the left. On analysis of the L-shaped plan of the villino we find the principles for Wright and Cheney's future house, Taliesin, the one which Wright would build on his return to Wisconsin in 1911.

Before the project for the small villa in Fiesole, Wright had only designed two artists' studios. On the 42nd page, numbered XXX of the Wasmuth Portfolio, one of these designs entitled 'House for an Artist' is published side by side with the drawings for the 'Chesney House', which was designed and built in 1904.

This is the only case in the entire publication in which designs of two different buildings appear side by side on the same page which suggests an indestructible link between Wright and Mamah Cheney.[4]

In spite of the house/studio project, Wright engulfed with frustration and difficulty wrote: "*I want to live true as I would build true, and in the light. I have tried to do this thing. Advice has been of little use. The necessary light must come within. Life is living and living only brings the light.*"[5]

During that summer, he was distracted by personal worries, so much so that he began to plan his return to America. At the start of July in 1910, his sense of guilt got the better of him and confiding in his friend Charles Robert Ashbee, he stated: "*the fight has been fought. I am going to Oak Park to pick up the thread of my work and in some degree of my life where I snapped it. I am going to work among the ruins - not as any woman's husband but as the father of the children - to do what I can for them. And I shall come to see you on my way - early in September. My contract with Wasmuth in Berlin will keep me until then.*"[6]

Despite his anxiety, he continued to work for the Wasmuth Portfolio and to travel around Tuscany: "*I have been very busy here in the little eyrie in the brow of the mountain above Fiesole - overlooking the pink and white, Florence spreading in the valley of the Arno below - the whole fertile bosom of the earth seemingly lying in the drifting mists or shining clear and marvelous in the Italian sunshine - opalescent - iridescent.*

I have poked into the unassuming corners where this wondrous brood of Florentine painters, sculptors, sculptor painters and painter

sculptor architects worked. I declare you cannot tell here: there was no line drawn between mediums."
Adding to Wright's personal problems were those of work. The publication of the portfolio was proceeding with great difficulty. The work consisted of 73 plans, illustrated with 100 tables. Twelve printings of the portfolio were carried out but the definitive copy had not yet been finalized.
Wright complained about the slow pace of the publishing house so much that he considered finding another editor. However, he finally decided to be patient, conscious that an important publication such as this would raise his profile and help him obtain new commissions. Nevertheless, with his stay in Fiesole nearing an end, it was the moment that he had to confront his relationship with Mamah. The following letter addressed to Ashbee reads: "*The villino Belvedere here is a charming little place - with its tiny enclosed garden hanging out over the valley - but my work and life in it draw toward a close.*"...
The decision to return to America had already been made ... "*I will arrive in England on the 10th of September.*"
In fact after a few days, he left for Vienna on the last leg of his European tour. This is how Wright's one year European break ends. This experience would have undoubtedly influenced his work and is evident in many of his essays. The year abroad was above all, a way to escape his difficult domestic situation at home. However, it also gave him the chance to establish his architectural theories for the Wasmuth publication. Furthermore, he was able to put all his creations into graphic form for the portfolio and this is something that has never been achieved by any other architect, American or European.
Visiting the European capitals would have allowed him to compare the traditional Western architecture and grant him time to start writing the introduction to the portfolio. Amongst all these events, as he himself wanted to highlight, exists a link to his frame of mind at a certain crossroads in his life. However, he was aware of this once in a lifetime experience when he wrote: "*There is something good in this life here that I dare hope may not be lost - that out of it will come something of greater strength and deeper understanding which will leave and all those who are touched by it, better, richer, - truer - , but is it a vain hope? The 'cruelty' of its basis in other hearts clutches at mine when I see its bearings - as I see it now - eventually - its price must be paid.*"[7]

1) ANTHONY ALOFSIN, *Frank Lloyd Wright. The lost Years 1910.1922. A study of influence*,University of Chicago Press, Chicago 1993, pag 337.
2) op.cit., pag. 41.
3) op.cit., pag. 335.
4) ROBERT MCCARTER, *Frank Lloyd Wright*, Bollati Boringhieri 2008, pag 102.
5) ANTHONY ALOFSIN, *Frank Lloyd Wright. The lost Years 1910.1922. A study of influence*, University of Chicago Press, Chicago 1993, pag. 52.
6) op.cit., pag. 53.
7) op.cit., pag. 56.

WRIGHT E L'AMBIENTE CULTURALE ANGLO-AMERICANO DI FIRENZE NEL 1910

Paolo Bulletti

Nel lungo romanzo di grandezze e tragedie che è la vita di FLW, il capitolo toscano è solo di alcuni mesi, ma emotivamente rilevante. Momenti di amarezze, per quanto di lui stavano pubblicando in patria dopo "la fuga", di passione e di intimità con Mamah Cheney si alternavano durante il lavoro di preparazione della pubblicazione per l'editore Wasmuth.

Forse per la necessaria concentrazione che era venuto a cercare, forse per il fatto che convivere, lui ancora sposato, con una donna anch'essa ancora sposata, lo consigliava a prudenza, le tracce riscontrabili delle frequentazioni con l'ambiente anglo-americano fiorentino dell'epoca sono minime.

Quando Wright arriva alla stazione Maria Antonia di Firenze, alla fine del marzo 1910, non parla nemmeno una parola d'italiano ed è naturale pensare che si appoggi alla comunità anglofona fiorentina, anche se forse la scelta di Firenze, fra tutte le città italiane, non è casuale.

L'inglese era già parlato da molti mercanti, dal Quattrocento si commerciava con l'Inghilterra, e già i Medici avevano prestato soldi alla corona.

I fiorentini, abituati a corteggiare i loro clienti e visitatori, erano già stati capaci di creare le condizioni per mettere gli anglofoni a loro agio.

In città si trovavano quattro chiese protestanti, dottori e farmacia inglese e americana in via Tornabuoni, una libreria e, al Caffè Doney, punto d'incontro degli stranieri in città, dove si potevano leggere i giornali d'oltreoceano, si giocava a bridge. All'"Anglo-American" di via Cavour si potevano trovare dagli impermeabili Burberry e le flanelle scozzesi ai biscotti inglesi per i ricorrenti tè, rigorosamente Lipton, nelle ville di Bellosguardo e Fiesole.

Wright stabilisce la sua residenza fiorentina presso il villino Fortuna sul lungarno Serristori, non lontano da quella di J.G.Bennett proprietario del New York Herald e prospiciente il giardino del collezionista Bardini presso la cui villa, sotto il Forte di Belvedere, si tenevano continui ricevimenti con artisti di tutto il mondo.

Firenze è vista come un luogo ideale per vivere. La comunità è già numerosa, la vita è facile ed è spesso citata, nei messaggi degli espatriati, come molto economica, rispetto anche a Roma e Venezia. Allora come oggi si poteva tranquillamente fare a meno di imparare l'italiano.

Fra entusiasmo e nostalgia Firenze diventa "Little Boston", non a caso la più europea delle città statunitensi, per gli americani e "Little London" per gli inglesi.

L'ambiente culturale anglo-americano dell'epoca è piuttosto composito.

Gli americani in particolare cercano e trovano a Firenze le loro radici. Tradizioni, storia ed eredità culturali costituiscono frammenti di identità, il racconto lasciato da chi li ha preceduti. Insegno architettura in università americane da quasi trent'anni e i diari di viaggio dei miei studenti sono ancora zeppi di capitelli, statue, dettagli di scorci di vicoli e di bugnati.

A Firenze gli americani di allora sono anche interessati all'acquisto di opere d'arte, che trovano numerose e a buon prezzo, e ad oggetti di artigianato di antica fattura, reperibili sulle bancarelle dei mercati.

Il 24 aprile si inaugura a Palazzo Davanzati il museo privato della Casa Fiorentina Antica. Negli stessi giorni il proprietario, l'antiquario Elia Volpi, organizza anche la prima asta pubblica di oggetti antichi.

I due avvenimenti, a cui fu dato grande risalto sulla stampa, richiamano in città collezionisti e compratori da tutto il mondo fra cui Horne, Bardini, Acton, il Metropolitan Museum di New York. Le aste si ripetono, così gli oggetti provenienti da Palazzo Davanzati approdano nelle collezioni newyorkesi di T. Fortune Ryan, di P. Lehman, di P.Cooper e A.Hewitt.

Pochi giorni dopo, nella sede del Lyceum, un club internazionale per artiste e scrittrici, fondato nel 1908 dall'inglese Constance Smedley, si apre la prima Mostra Italiana dell'Impressionismo. Fra i dipinti esposti parecchi Cézanne provengono dalle collezioni di

Egisto Fabbri e Charles Loeser, americano di nascita ma fiorentino d'adozione.

Fabbri apparteneva ad una famiglia di emigranti fiorentini che a New York aveva avuto un particolare successo grazie alla sua intraprendenza tale da portarlo a diventare socio del banchiere J.P.Morgan.

Architetto per passione, restaura la villa Bagazzano, nei pressi di Settignano, meta continua di visite da parte di artisti ed intellettuali internazionali, molti dei quali risiedono ormai da noi. Storie ed esperienze che Henry James ritrae nei suoi numerosi scritti. Nella stessa zona vivono nelle loro ville Bernard Berenson ai Tatti, la principessa rumena Giovanna Ghyka alla Gamberaia, Vernon Lee (pseudonimo di Violet Page) al Palmerino.

Quest'ultima è una grande interprete del fascino mediterraneo dei giardini italiani dei quali apprezza il senso della prospettiva, gli interventi sul terreno e sulle acque per creare effetti scenografici, l'utilizzo degli alberi come quinte, la mancanza dei fiori rispetto ai giardini inglesi.

Spesso a Firenze è ospite sia della Lee che di Berenson, anche Edith Wharton, romanziera ed autrice di numerose lettere in cui descrive un attrazione magica per i luoghi e la natura italiana.

In quei mesi, in cui Wright consiglia al figlio Lloyd, con lui a Firenze mentre la Cheney è ancora in Germania, di interessarsi più al paesaggio toscano che non all'architettura è il paesaggista inglese Cecil Pinsent l'interpete dei giardini anglofiorentini. È lui che progetta il verde per la villa di Berenson, la Villa dell'Ombrellino a Bellosguardo, la villa Le Balze a Fiesole a la villa Capponi a Pian dei Giullari.

Il 1910 è anche un anno particolare dal punto di vista climatico, la terra passa attraverso la coda della cometa di Halley e a questo si riconduce un inverno ed una primavera particolarmente rigidi. Dopo diversi giorni di pioggia il 10 aprile l'Arno è in piena e si teme lo straripamento, non posso non pensare a Wright affacciato alla finestra a guardar giù il fiume che cresce anche se preso dal riallineare la propria vita e far fronte a chi gli consiglia di lasciare la Cheney.

Agli inizi di giugno va a prenderla a Leipzig e si trasferiscono a Fiesole. La piazza Mino è un largo spazio sterrato, non ci sono ancora i tigli e l'illuminazione, che arriveranno l'anno seguente. Di tanto in tanto D'Annunzio vi fa sosta arrivando a cavallo dalla villa di Settignano.

I tramways elettrici che ogni venti minuti partono da Piazza Duomo hanno il loro capolinea nella parte destra della piazza..

Sempre su quel lato inizia via Verdi, ho camminato mille volte per quella strada ma ogni volta che arrivo dove la strada per una ventina di metri forma una sella pianeggiante, la vista su Firenze toglie il fiato. Il villino Belvedere è lì.

Apparteneva a Elisabeth Illingworth una signora inglese proprietaria anche della confinante villa Belvedere dove risiedeva.

Il primo tetto che si vede affacciandosi è quello della villa Il Roseto che diventerà la sede della Fondazione tanto voluta da Giovanni Michelucci.

Intanto la situazione climatica è cambiata, sta arrivando la tipica calda estate italiana, gli scavi al Teatro Romano sono ripresi e a metà agosto verranno scoperte anche due tombe etrusche.

Wright e la Cheney passeggiano frequentemente, visitano San Miniato al Monte che Wright trova di particolare interesse per la pianta a croce latina, la villa medicea di Fiesole "mano nella mano, lungo la strada che sale da Firenze all'antica cittadina...per chilometri nel sole ardente, nella polvere fitta dell'antica serpeggiante strada".

Scendono anche verso Settignano per quelle stesse strade dove alcuni mesi prima la scrittrice americana Gertrude Stein, in villeggiatura con il fratello Leo, collezionista d'arte, che si era trasferito in una villa vicino a Berenson, aveva chiesto alla compagna Alice Toklas di sposarla.

Nell'agosto la coppia lascia Fiesole, il progetto Wasmuth è completato, viaggeranno in Europa ma dei loro itinerari non c'è traccia, all'inizio di settembre sono a Berlino, poi a Londra. Il 6 ottobre Wright parte per New York per raggiungere subito Oak Park, dove si apre un nuovo capitolo.

WRIGHT AND THE ANGLO-AMERICAN CULTURAL SCENE OF FLORENCE IN 1910

PAOLO BULLETTI

In the long novel of grandeur and tragedy that is Frank Lloyd Wright's life, the Tuscan chapter only lasted a few, but emotionally significant, months.
Moments of bitterness, on account of what they wrote about him in the homeland after his "escape", alternated with moments of passion and intimacy with Mamah Cheney during the preparation of work for the Wasmuth publication.
Perhaps the necessary concentration he had come in search of, or because he was living, while still married, with a woman who was still married herself, inclined him to act with caution, few traces can be found of his interaction with the Florentine Anglo-American scene of the time.
When Wright arrived at the station of Maria Antonia in Florence, at the end of March 1910, he spoke not a word of Italian and it is natural to think that he would have leaned on the Florentine English-speaking community, even if the choice of Florence, among all the Italian cities, was perhaps not casual.
English was already spoken by many traders; there had been trade with England since the fifteenth century, and the Medici family had formerly lent money to the Crown.
The Florentines, used to courting their clients and visitors, had already managed to create the conditions to make English-speakers feel at home.
The city boasted four protestant churches, English and American doctors and pharmacies in Via Tornabuoni, a bookshop and Caffè Doney, a meeting point for foreigners in the city where they could read foreign newspapers and play bridge. At the "Anglo-American" store in Via Cavour Burberry raincoats and Scottish flannels were to be found, not to mention English biscuits for regular tea parties, drinking strictly Lipton, in the villas of Bellosguardo and Fiesole.
Wright established his Florentine residence in the Fortuna town house on Lungarno Serristori, not far from that of J. G. Bennett, owner of the New York Herald, and it faced the garden of the collector Bardini at whose villa, under Forte di Belvedere, continual receptions were held with artists from all over the world.
Florence was seen as an ideal place to live. The community was already numerous, life was easy and often, in messages from expats, said to be very cheap, even compared to Rome and Venice.
Then, as today, one could easily get by without learning Italian.
Between enthusiasm and nostalgia, Florence became "Little Boston", not by chance the most European of the American cities, for Americans and "Little London" for the English.
The Anglo-American cultural scene of the time was rather composite.
The Americans in particular searched for and found their roots in Florence. Traditions, history and the cultural legacy represented fragments of identity, the story left behind by those who preceded them. I have taught architecture in American universities for almost thirty years and my students' travel journals are still crammed with capitals, statues, details glimpses of narrow streets and rusticated ashlar.
In Florence, the Americans of that time were also interested in purchasing works of art, which they found to be numerous and well-priced, as well as antique artisan objects, found on market stalls.
On 24 April the private museum of the Old Florentine House was opened in Palazzo Davanzati. In the same days the owner, antique dealer Elia Volpi, also organized the first public auction of antique objects.
The two events, which were given much prominence in the press, drew to the city collectors and buyers from all over the world including Horne, Bardini, Acton and the Metropolitan Museum of New York. The auctions were repeated, thus objects from Palazzo Davanzati appeared in the New York collections of T. Fortune Ryan, P. Lehman, P. Cooper and A. Hewitt.
A few days later the first Italian exhibition on Impressionism opened in the headquarters of the Lyceum, an International club for artists and writers founded in 1908 by an English lady, Constance Smedley. Among the paintings on display there were several Cézannes from the collections of Egisto Fabbri and Charles Loeser, American by birth but Florentine by adoption.

Fabbri belonged to a family of Florentine emigrants who had had particular success in New York thanks to his enterprising spirit, which led him to become a partner of the banker J. P. Morgan.
An architect by passion, he restored Villa Bagazzano, in the vicinity of Settignano, a constant destination for visits by international artists and intellectuals, many of whom then resided in Italy. Stories and experiences that Henry James portrayed in his numerous writings. Others lived in their villas in the same area, such as Bernard Berenson in Villa I Tatti, the Romanian princess Giovanna Ghyka in Villa Gamberaia and Vernon Lee (Violet Page's pseudonym) in Villa il Palmerino.
This latter wonderfully interpreted the Mediterranean charm of Italian gardens, appreciating the sense of perspective, attention to the land and water features to create scenographic effects, the use of trees as stage wings and the lack of flowers compared to English gardens.
Edith Wharton, novelist and author of numerous letters in which she described a magical attraction for Italian places and nature, was also often a guest of both Lee and Berenson in Florence.
In those months, when Wright advised his son Lloyd, who was in Florence with him while Cheney was still in Germany, to take more of an interest in the Tuscan landscape rather than architecture, the English landscape architect Cecil Pinsent was the interpreter of Anglo-Florentine gardens. It was he who designed the grounds of Berenson's villa, Villa dell'Ombrellino at Bellosguardo, Villa Le Balze in Fiesole and Villa Capponi at Pian dei Giullari.
1910 was also a special year from a climatic point of view: the Earth passed through the tail of Halley's Comet bringing about a particularly harsh winter and spring. After several days of rain, on 10 April the Arno was in spate there were fears it would flood. I cannot help but think of Wright looking out of his window onto the swelling river below, even if consumed by realigning his life and facing those who advised him to leave Cheney.
At the start of June he went to collect her from Leipzig and they travelled together to Fiesole.
Piazza Mino was a large excavated area, lacking the lime trees and lighting that would arrive the following year. Every now and then D'Annunzio would stop off there, arriving on horseback from his villa in Settignano.
The electric trams that left from Piazza Duomo every twenty minutes came to the end of the line on the right-hand side of the square. Via Verdi also starts from that side of the square. I have walked that road a thousand times but each time I come to the point where the road, for twenty meters or so, forms a level col, the view over Florence takes the breath away.
Villino Belvedere is located right there.
It belonged to Elisabeth Illingworth, an English lady who also owned the neighboring Villa Belvedere where she resided.
The first roof one sees when looking out is that of Villa Il Roseto, which became the headquarters of the Foundation much wished for by Giovanni Michelucci.
In the meantime the climatic situation had changed, the typical Italian hot summer was on its way, excavations at the Roman Theatre were underway once more and in mid-August two Etruscan tombs would be discovered.
Wright and Cheney took frequent walks visiting San Miniato al Monte, which Wright found to be particularly interesting for the Latin cross plan, and the Medici Villa in Fiesole "hand in hand, along the road that rose up from Florence to the ancient town...for kilometers in the burning sun, in the thick dust of the ancient winding road".
Also walking down towards Settignano along those same roads where some months before the American writer Gertrude Stein, on vacation with her brother Leo, an art collector, who had moved to a villa near Berenson, had asked her partner Alice Toklas to marry her.
In August, with the Wasmuth project complete, the couple left Fiesole and travelled in Europe, but there is no trace of their itineraries; at the start of September they were in Berlin, and then London. Wright left for New York on October 6, and went straight to Oak Park, where he opened a new chapter.

EMOZIONI DI VIAGGIO, TALIESIN

MASSIMO PIERATTELLI

Per organizzare la mostra sulla permanenza di Wright a Fiesole era importante avere un contatto diretto con la fondazione Wright Taliesin Preservation a Spring Green nel Wisconsin, per accordarsi in via generale sui contenuti della stessa e visitare la casa studio del celebre architetto. La visita è stata di fondamentale importanza per comprendere il luogo in cui Wright ha vissuto gran parte della sua vita, prima nell'infanzia e nella giovinezza, poi come rifugio in seguito al periodo trascorso in Europa e a Fiesole.
Taliesin è stata superiore ad ogni mia aspettativa, perché l'armonia che esprime il luogo è frutto di una sapiente fusione tra lavoro umano e natura, che ha creato una entità unica, indivisibile.
Vivere l'ambiente è per un architetto una esperienza fondamentale, per comprendere le proporzioni delle architetture, valutarne i particolari, il rapporto con la luce, il clima, gli odori, i suoni che lo circondano, verificare l'idea progettuale e cercare di scoprire le probabili influenze che hanno ispirato l'artista, apprezzarne il rapporto con l'ambiente e infine elaborare le proprie emozioni.
Abbiamo convenuto con Sidney Robinson, Carol Johnson, della Taliesin Preservation e mia moglie Roberta di approfondire nella mostra un aspetto, a nostro avviso, interessante e non sufficientemente approfondito del lavoro di Wright, capire cioè l'evoluzione del suo modo di fare architettura in seguito alla permanenza a Fiesole e quali fossero stati gli elementi maggiormente rappresentati nel suo lavoro.
Wright è stato il padre indiscusso della architettura moderna con la sua Prairie house, casa lineare di modesta altezza immersa e attraversata, tramite ampie finestrature, nella vastità della prateria fino a confondersi con l'orizzonte e l'ambiente naturale.
In contrasto con Fiesole, cittadina ubicata sulla collina che sovrasta il lato nord della città di Firenze ed è un esempio di perfetta fusione tra lavoro dell'uomo e natura, caratterizzata da terrazzamenti ricavati tramite la costruzione di imponenti muri a retta, creati come basamenti per le costruzioni ed i relativi giardini, le cui linee geometriche sono state attenuate dalla natura con l'aiuto del tempo.
Le architetture collinari e della campagna toscana,si differenziano dai palazzi rinascimentali fiorentini,rigorosi nella loro composizione dominata da simmetrie e regole auree; tuttavia in essi si ritrovano gli elementi decorativi fondamentali che caratterizzano il Rinascimento, come finestre, portali, cornici, porticati ecc., ma trattati in modo diverso, come architetture spontanee, che hanno vissuto l'evoluzione delle esigenze di generazioni che le hanno utilizzate, e modificate avvalendosi di una innata cultura del bello e delle giuste proporzioni.
Frank Lloyd Wright nel 1910, durante la sua permanenza a Fiesole, nel Villino Belvedere in via Verdi, pensa insieme alla sua amata Mamah Cheney di realizzare una casa sulla collina fiesolana come propria residenza, per sfuggire ai problemi legati alla sua situazione familiare e sviluppa il progetto di un villino prospiciente la strada pubblica, ma separato da un muro, che nasconde al suo interno un piccolo giardino, mentre la facciata principale che guarda verso Firenze, si estende su un altro giardino più vasto.
Le considerazioni fatte sull'architettura spontanea ed in particolar modo quella fiesolana, servono per meglio interpretare e capire le influenze che si riscontrano nella casa studio di Frank Lloyd Wright.
Taliesin, *"collina spendente"*, in gaelico, è un capolavoro di fusione tra architettura e natura, il viaggiatore percepisce un senso di equilibrio, che pervade tutta la valle con il suo fiume, le colline con le colture, le macchie verde scuro delle aree boschive che fanno da sfondo e pausa alla vista di vari scenari.
La collina dove sorge la casa studio di Wright è stata modificata alla maniera fiesolana, sono stati costruiti muri a retta, spianati i terreni circostanti per creare una vasta area pianeggiante sulla quale poi sono state realizzate le costruzioni che formano Taliesin.
L'accesso alla casa studio avviene dal punto più alto della collina, tramite un passaggio graduale dalla campagna al giardino interno, circondato per tre lati dalle costruzione, mentre il quarto è delimitato da un basso muro di pietre, che separa idealmente lo spazio privato dalla campagna aperta.
Lo sfondo del giardino è rappresentato dalla scenografia di un'incantevole campagna formata da colline coltivate a mais, sapientemente alternate da prati e zone boschive, mentre una vigna, coltura insolita nel Wisconsin a causa degli inverni lunghi e rigidi è posta a memoria del tempo trascorso in Toscana.
Da tutte le finestre si godono panorami unici, i soggiorni e le camere da letto sono in posizione dominante sulla valle e sul fiume che la attraversa; anche il fiume è stato modificato da Wright, il quale, per aumentare la percezione dell'elemento acqua, ha creato delle ampie anse nelle quali la vegetazione fluviale ha potuto esprimersi formando uno scenario idilliaco.
Una emozione particolare si riceve dalla vista della quercia nel piccolo cimitero della famiglia, sotto la quale è sepolta l'amata Mamah Cheney, morta nel 1914.
Ogni mattina al suo risveglio dalla finestra della camera da letto Wright vedendo la quercia, aveva la possibilità di rinnovare il ricordo della donna amata, scomparsa tragicamente.
Il paesaggio che si può ammirare intorno a Taliesin è quindi frutto dell'evoluzione del pensiero dell'architettura organica di Wright, non solo casa della prateria, ma anche edifici costruiti in posizione dominante dove non esiste il limite tra il progetto e ambiente, ma dal quale si ottiene un senso di armonia che si trasforma in appagamento.
Spero che la mostra scaturita dal nostro indimenticabile viaggio, contribuisca ad approfondire alcuni aspetti non molto conosciuti del lavoro di Wright e possa essere di stimolo per coloro che amano l'architettura a visitare quel luogo incantato.

TALIESIN
AGOSTO 2009

AUGUST 2009.

AN EMOTIONAL JOURNEY

MASSIMO PIERATTELLI

In order to organize this exhibition on Wright's stay in Fiesole, it was important to have direct contact with the 'Wright Foundation' & the 'Taliesin Preservation' in Spring Green, Wisconsin and to pay a visit to the house/studio of the celebrated architect. Working together with the foundation allowed us to come to a general agreement on how to proceed in choosing the work to be shown.

The visit was fundamental in our understanding of the place in which Wright spent a big part of his life, first in infancy, then in his youth and finally in the period following his trip to Europe and Fiesole where it served as a refuge.

Taliesin surpassed all of my expectations. The harmony that you feel there is the result of an expert fusion between man-made work and nature, indivisible one from the other, creating a unique entity.

For an architect, living the environment is fundamental in comprehending the architectural proportions of the house and its environment. It allows you to weigh up all the particulars such as the ratio of light, the climate, the scents and the surrounding sounds. These factors all add to the experience and verify the idea of the project. They help in trying to discover the probable influences that would have inspired the artist whilst at the same time help you appreciate the relationship with the environment and understand how he processed his emotions.

My wife Roberta and I met with Sidney Robinson and Carol Johnson of the 'Taliesin Preservation' so that we could elaborate on an aspect, which in our opinion was interesting and had not been sufficiently studied in Wright's career, thus allowing an understanding on how his architectural ideas evolved after his time spent in Fiesole and also show the major elements of his work.

Wright was unquestionably the father of modern architecture with his 'Prairie' house. A low, linear house immersed in the vast prairies and in turn camouflaged with the horizon and its natural environment by way of the huge windows.

This is in contrast with Fiesole, a city situated on a hill overlooking Florence from the North. Fiesole represents a perfect fusion between the work of man and that of nature. It is characterized by terraces realized by the construction of imposing stone walls that were created as a base for the subsequent building of homes and their gardens. These walls have had their geometric lines diminished over time by nature.

The typical hillside architecture and that of the Tuscan countryside, differs greatly from the Florentine palaces of the Renaissance. The composition of these palaces is dominated by symmetry and golden rules. Certain fundamental elements that characterize the Renaissance period are still found within the countryside architecture such as windows, frames and porches etc but used in a different, more spontaneous way, evolving with the needs of each generation.

During his stay in Fiesole in 1910 at 'Villino Belvedere' in Via Verde, Frank Lloyd Wright along with the love of his life Mamah Cheney, considered building a house in the hills of Fiesole in which they could reside and escape from their personal problems back in the United States. He developed a project for a small villa facing the public street but separated by a wall with a small garden hiding behind it. The front of the house would look towards Florence and extend out to a more extensive garden.

The analysis made on spontaneous architecture and in particular those in the 'Fiesolana' style serve for better interpreting and understanding the influences that merged together in the house/studio of Frank Lloyd Wright. Taliesin meaning 'rolling hill' in Gaelic is a masterpiece of fusion between architecture and nature. The traveler perceives a sense of balance that pervades the whole valley. With its river, the hills and the dark green woodland scrub, it creates a scenery that stops him in his tracks with its beauty.

The hill where Taliesin was built was modified, inspired by Fiesole. They built holding walls, flattening the surrounding grounds to create a vast flat area onto which Taliesin was built.

The entrance of the house/studio is accessed from the highest point on the hill by way of a gradual passage from the countryside to the internal garden which is surrounded on three sides by the building, while the fourth side is bordered by a low stone wall that ideally separates the private space from the open countryside.

The setting of the garden is that of an enchanted countryside formed by hills of cornfields expertly alternating with grass fields and woods whilst a vineyard (not usually found in Wisconsin due to the long and harsh winters) was planted there as a reminder of his time spent in Tuscany.

From each window there is a unique view. The living rooms and the bedrooms are in a dominant position in the valley with the river that crosses it. The river was also modified by Wright. In order to augment the perception of the element of water, he created wide bends so that the river vegetation grew freely and formed idyllic scenery.

Another moving detail is the sight of the oak tree in the small family cemetery under which Wright's beloved Mamah Cheney was buried after her death in 1914.

Each morning when he woke up he would see the oak tree from his bedroom window reminding him of his beloved Mamah that was taken from him so tragically.

The landscape that you can admire around Taliesin is therefore the result of an evolution of Wright's ideas on 'organic architecture' not only in the prairie house but also in the buildings constructed that sit in a dominant position where there are no limits between design and the environment. This fulfillment is obtained by the deep sense of harmony. I hope that this exhibition, inspired by our unforgettable journey, contributes to and explores a few of the unknown aspects of Wrights work and will encourage those who love architecture to visit that enchanting place.

LA COSTRUZIONE DEL PAESAGGIO

FABIO CAPANNI

Nel 1910 Frank Lloyd Wright, in quello che lui stesso definirà "l'esilio volontario", si stabilisce a Fiesole in una piccola casa di via Verdi per curare la pubblicazione del primo volume interamente dedicato alla sua opera che gli era stato proposto dall'editore berlinese di libri d'arte Ernst Wasmuth.
Oltre quaranta anni dopo, nel 1951, a suggello di un successo professionale oramai planetario, Wright torna in Italia ad inaugurare la mostra monografica sulla sua opera, organizzata a Firenze, in Palazzo Strozzi.
In questo arco temporale Wright, alla stregua dei grandi viaggiatori del *Grand Tour*, intesse con l'Italia un duplice rapporto: dapprima ne conosce la storia, la cultura, l'arte, vivendo l'incanto delle colline fiesolane e introiettandone i caratteri più radicati e, successivamente, elabora in profondità questa esperienza veicolandola nelle opere successive sotto forma di alimento insostituibile per le sue elaborazioni progettuali.
In questa esatta cornice, è significativo sottolineare come durante il secondo soggiorno in Italia del 1951 è Wright stesso che, tramite l'esempio della sua opera esposta a Palazzo Strozzi, esercita, a sua volta, una profonda influenza sugli architetti italiani dell'immediato dopoguerra determinando, in particolare, un nuovo corso della storia della nostra architettura locale e aprendo la strada ad una serie di realizzazioni di alcuni dei maggiori rappresentanti della cosiddetta "Scuola fiorentina", ubicate in parte proprio sulle colline fiesolane, a tal punto da poter parlare di un vero e proprio "parco dell'architettura moderna".
Nell'intrecciarsi di queste vicende con il nostro territorio, il ricorrere del centenario di quel primo e breve soggiorno di Frank Lloyd Wright nella casa a Fiesole in via Verdi, pare una straordinaria occasione, non solo per celebrare quell'evento, ma anche per tentare di tracciare un profilo dell'influenza del maestro statunitense sulle trasformazioni del paesaggio collinare di Fiesole, raccoglierne il valore più profondo e proiettarlo nel futuro della nostra città e del nostro territorio tutto.
È proprio in quest'ottica che la mostra, di cui questo catalogo rende una esaustiva testimonianza, pare assumere un carattere di estrema rilevanza, proprio in quanto rappresenta una grande opportunità per spingersi oltre i confini del singolo evento espositivo e prefigurare la traiettoria di un percorso che, auspicabilmente, possa svilupparsi in un arco temporale di lunga durata ed ambire ad acquisire una dimensione più ampia, volta alla valorizzazione del patrimonio artistico e culturale del territorio fiesolano.
Un punto di partenza, insomma, per un percorso che miri a configurare Fiesole, in qualità della sua collocazione geografica e per il significativo portato storico della sua tradizione, come un osservatorio privilegiato sulle tematiche del paesaggio, una sorta di avamposto per la riflessione su quei temi che, più di altri, animano il dibattito contemporaneo sull'architettura e il suo complesso rapporto con i luoghi.

THE LANDSCAPE CONSTRUCTION

FABIO CAPANNI

In 1910 Frank Lloyd Wright, in what he himself defined as his "willing exile", lived in Fiesole in a small villa on Via Verdi. It was there that he organized the publication of the first volume commissioned by the art book publisher from Berlin, Ernst Wasmuth, a portfolio entirely dedicated to his work. Forty years later, in 1951 at the peak of his successful career, Wright returned to Italy for the inauguration of the monographic exhibition of his works at Palazzo Strozzi in Florence.
At that time, Wright, like the great travelers of the "grand tour", held a "dual connection" with Italy: firstly in discovering its history, traditions and art by living the 'magic of the hills of Fiesole' and absorbing their intense characteristics. Secondly by applying this irreplaceable experience to influence his future projects.
It is important to emphasize how during his second stay in Italy in 1951, it is Wright himself who by way of his exhibition at Palazzo Strozzi in Florence, became a huge influence on the Italian post war architects. This influence determined a new direction in the history of our local architecture and opened the way to a series of construction by the best representatives of the so called 'Florentine School'. With the major part settled into the hills of Fiesole, the area can be considered a true 'park of modern architecture'.
Interweaving with our territory, the 100th anniversary of Wrights first stay in the villa in Fiesole is an extraordinary occasion for celebration. Not only in celebrating the event, but also in tracing a profile of the influence this American master had in transforming the hillside landscape of Florence. These influences help us gather a deeper value for future use within our city and its territory.
It is in line with this train of thought that the exhibition, in which this catalogue renders a comprehensive testimony, assumes a character of extreme relevance. It represents an important opportunity to push beyond the borders of a single event and create an enduring path which aspires towards a vaster dimension in enhancing Fiesole's artistic and cultural patrimony.
We hope that with this exhibition, Fiesole will become a privileged observatory of landscape themes thanks to both its geographic location and its important history – a type of outpost for reflection on these themes that above all will reopen the contemporary debate on architecture and its complex relationship with its environment.

DUE VIAGGI

CORRADO MARCETTI

Nel *buen retiro* fiesolano del 1910 Frank Lloyd Wright, architetto già affermato con fama di *innovator*, non aveva particolari motivi d'interesse per l'architettura dei suoi contemporanei colleghi fiorentini. Il loro eclettismo era privo di attrattiva per la sensibilità di chi aveva combattuto le versioni americane dell'eclettismo neoclassico dopo aver appreso, negli anni della formazione presso lo studio di Louis Sullivan, che l'architettura si trasforma insieme alla società, al territorio e alla natura. Le vicende architettoniche del capoluogo toscano non testimoniavano all'epoca che esili rapporti con la modernità, attardate come erano nella rielaborazione di modelli derivanti dal patrimonio culturale e architettonico della città, una prolungata coazione a ripetere repertori stilistici e formali di quattrocentismo e cinquecentismo. Anche il segno di modernità del Liberty si era presentato in ritardo sulla scena fiorentina e gli edifici di maggiore interesse, come i villini realizzati da Giovanni Michelazzi in cui il Liberty è declinato in forme originali e raffinate, non controbilanciavano il peso della sproporzionata preponderanza delle architetture medievaleggianti e classicheggianti. Inoltre piuttosto modesti erano stati i frutti della modernizzazione urbanistica ottocentesca e disastrosi gli esiti della distruzione del vecchio centro "a nuova vita restituito". Le polemiche e gli accesissimi dibattiti suscitati dall'introduzione degli inserti di nuova architettura arriveranno più di venti anni dopo il soggiorno di Wright, in particolare con l'esito del Concorso per il fabbricato viaggiatori della stazione vinto nel 1933 dal Gruppo Toscano con Giovanni Michelucci capogruppo. Nel 1910 Michelucci era solo un giovane di 19 anni con tante curiosità intellettuali che frequentava l' Accademia di Belle Arti di Firenze (maturandone un giudizio impietoso) al fine di perfezionare l'arte del disegno per le esigenze delle officine di famiglia per la lavorazione artistica del ferro, dove sin da bambino aveva sviluppato "questa mentalità di vedere e dovere rappresentare le cose, del doverle vedere e rappresentare". All'epoca della permanenza di Wright non era presente a Firenze alcuna capacità di interpretare nell'architettura i nuovi tempi che pure si affacciavano attraverso la nuova realtà industriale e il ribollire di quartieri operai come Rifredi. Il Futurismo era in gestazione, le sue irruzioni sulla scena fiorentina arrivarono qualche anno più tardi con la tumultuosa serata futurista al Teatro Verdi nel 1914. Le immersioni nel paesaggio delle colline fiorentine in compagnia di Mamah Cheney erano allora per Wright, in "esilio volontario" dall'ambiente americano, sicuramente più interessanti di tanta architettura fiorentina d'epoca. Quando Wright ritornò circa quaranta anni dopo a Firenze, al culmine di una carriera piena di riconoscimenti, per ricevere la cittadinanza onoraria a Palazzo Vecchio e inaugurare la mostra monografica sulla sua opera, organizzata a Palazzo Strozzi da Oscar Stonorov e Carlo Ludovico Ragghianti, il clima fiorentino era completamente diverso.

Tra i giovani architetti, pieni di entusiasmo per la libertà riassaporata e per i compiti della ricostruzione del paese, era grande il desiderio di conoscere i maestri dell'architettura e ricollegarsi al dibattito internazionale. Nella fuoriuscita dal clima asfittico dell'autarchia culturale imposta dal fascismo, Wright rappresentava la libertà, l'abbandono dell'accademismo, la fantasia creativa nel movimento moderno, l'architettura organica. Anche se la predicazione dell'organicismo da parte di Bruno Zevi e dell'Apao [Associazione per un'architettura organica] da lui fondata nel 1944 a Roma, aveva raccolto a Firenze solo un piccolo gruppo di architetti, "l'insegnamento wrightiano filtrato da Michelucci con un'attenzione agli spazi prima ancora che alle forme, stava dando dei frutti singolari, maturati almeno venti anni prima della crisi del razionalismo" (Koenig 1986). La ricostruzione non portò però il segno dell'organicismo e, come il rinnovamento democratico del paese, pagò pegno al continuismo. L'approccio organico wrightiano non riuscì ad affermarsi nell'architettura realizzata se non in un numero limitato numero di opere. Michelucci puntualizzò le ragioni della distanza della sua concezione dell'architettura da quella wrightiana nell'articolo "Wright: un colloquio mancato" a commento della mostra del 1951 a Palazzo Strozzi. Diversi tra i suoi allievi non ebbero il mito di Wright ma ne seppero interpretare criticamente la lezione attraverso un autonomo linguaggio che produsse opere notevoli come Villa Conenna a Fiesole realizzata da Rolando Pagnini, vicina alla Villa Il Roseto casa-studio di Michelucci e attuale sede della omonima Fondazione. La complessità delle questioni relative all'influenza dell'opera di Wright sull'architettura del secondo dopoguerra nell'area fiorentina meriterebbe una prosecuzione editoriale da parte di quanti hanno voluto realizzare questo primo impegno.

---

1) G. K. KOENIG, "La facoltà di architettura" in *Storia dell'ateneo Fiorentino*, pag. 554, Edizioni Parretti Grafiche, 1986 Firenze.

2) G. MICHELUCCI, "Wright: un colloquio mancato" in Letteratura e Arte contemporanea", n. 11 anno II, , pp. 7-19, settembre-ottobre 1951, Editore Neri Pozza, Firenze.

TWO JOURNEYS

Corrado Marcetti

During his *buen retiro* in Fiesole in 1910, Frank Lloyd Wright, an architect already famous as an innovator, had no particular reason to be interested in the architecture of his Florentine contemporaries. Their eclecticism held no appeal for the sensitivity of a man who had challenged the American versions of neoclassical eclecticism after having learned, during his apprenticeship years at Louis Sullivan's firm, that architecture changed along with society, the territory and nature. The architectural issues of the Tuscan capital did not evidence, at the time that tenuous relations with modernity, delayed as they were by reworking models derived from the city's cultural and architectural heritage, a prolonged compulsion to repeat fifteenth and sixteenth-century revivals of stylistic and formal repertories. Even the Liberty style, the sign of modernity, was late to arrive on the Florentine scene and the buildings of greatest interest, such as the two-storey city houses designed by Giovanni Michelazzi where the Liberty style is stated in original and elegant forms, did not counterbalance the weight of the disproportionate preponderance of medieval and classical style architecture. Moreover, the results of the nineteenth-century town planning modernization had been rather modest and the outcome of the destruction of the old center "restored to new life" disastrous. The controversies and very colourful debates inspired by the introduction of new architectural elements would arrive more than twenty years after Wright's stay, in particular with the result of the competition for the railway station building won by the Tuscan Group in 1933, with Giovanni Michelucci as group leader. In 1910 Michelucci was a mere 19 year-old youth with a great deal of intellectual curiosity, who attended the Academy of Fine Arts in Florence (developing an unforgiving opinion of it) so as to perfect the art of drawing which the family workshop required for its artistic iron-working, where, since a child, he had developed "this mentality of seeing and having to represent things, of having to see and represent them". At the time of Wright's stay, Florence lacked the ability to interpret the new times through architecture, which were also apparent in the new industrial reality and the unrest of workers' districts such as Rifredi. Futurism was in the making, only erupting onto the Florentine scene some years later with the tumultuous futurist evening at the Teatro Verdi in 1914. Wright's immersions in the landscape of the Florentine hills in the company of Mamah Cheney were, at that time, in "voluntary exile" from the American scene, certainly more interesting than much of the Florentine architecture of the era. When Wright returned to Florence approximately forty years later, at the peak of a career full of recognitions, to receive his honorary citizenship at Palazzo Vecchio and open the monographic exhibition of his work, curated by Oscar Stonorov and Carlo Ludovico Ragghianti at Palazzo Strozzi, the Florentine climate was completely different.

Among the young architects, full of enthusiasm for another taste of freedom and the task of reconstructing the town, there was great desire to meet the masters of architecture and reconnect with international debate. In the aftermath of the asphyctic climate of the autarchic culture imposed by Fascism, Wright represented freedom, the abandoning of academicism, creative imagination in the modern movement and organic architecture. Even if Bruno Zevi's preaching of organicism together with Apao, the Association for Organic Architecture which he founded in Rome in 1944, had only gathered a small group of architects in Florence, "the teachings of Wright filtered by Michelucci, paying attention to the spaces even before the forms, were producing singular results, developed at least twenty years before the crisis of rationalism" (Koenig 1986). However, the reconstruction did not bear the mark of organicism and, like the democratic renewal of the town, it paid the price of continuism. Wright's organic approach only managed to establish itself in built architecture in a limited number of works. Michelucci qualified the reasons why his concept of architecture was removed from Wright's in the article "Wright: the missing interview" a comment on the 1951 exhibition in Palazzo Strozzi. Many of Wright's students did not regard him as a myth, but they knew how to critically interpret the lesson through an independent language that produced notable works such as Villa Conenna in Fiesole designed by Rolando Pagnini, close to Villa Il Roseto, Michelucci's house-studio and the current headquarters of the Michelucci Foundation. The complexity of the questions on the influence of Wright's works on post-war architecture in the Florentine region would merit editorial continuation by all those who wished to carry out this initial undertaking.

1) G. K. Koenig, "The faculty of architecture", in: *Storia dell'ateneo Fiorentino (The History of the Florentine University)*, p. 554, Edizioni Parretti Grafiche, 1986 Florence.

2) G. Michelucci, "Wright: the missing interview", in: *Contemporary Literature and Art*, No. 11 year II, pp. 7-19, September-October 1951, Editore Neri Pozza, Florence.

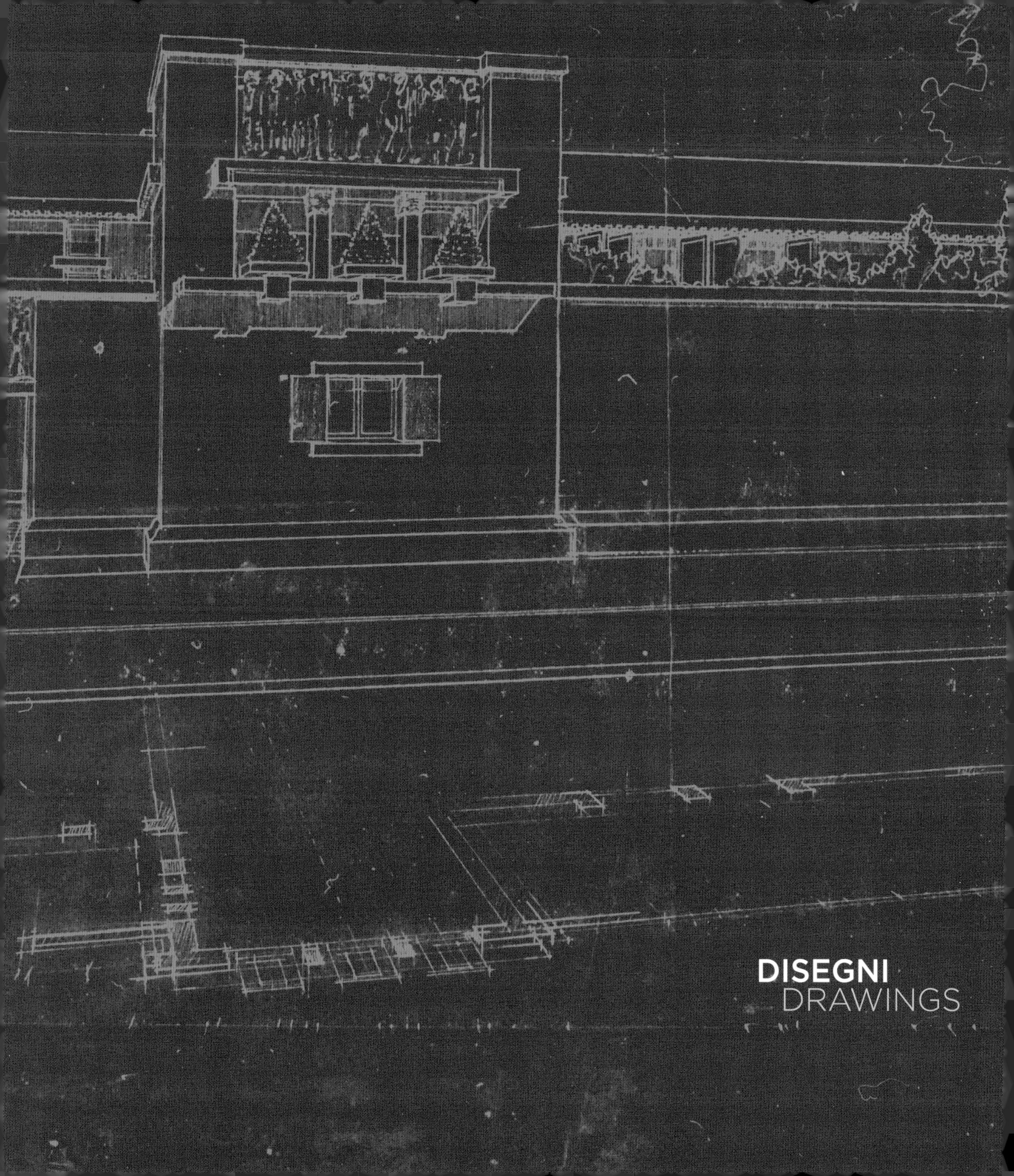

DISEGNI
DRAWINGS

1. FIESOLE
MATITA A GRAFITE SU CARTA DA SPOLVERO
GRAPHITE PENCIL ON TRACING PAPER

2. FIESOLE
GRAFITE E MATITA COLORATA SU CARTA DA SPOLVERO
GRAPHITE AND COLOR PENCIL ON TRACING PAPER

3. FIESOLE
MATITA A GRAFITE SU CARTA DA SPOLVERO
GRAPHITE PENCIL ON TRACING PAPER

4. FIESOLE
MATITA A GRAFITE SU CARTA DA SPOLVERO
GRAPHITE PENCIL ON TRACING PAPER

5. FIESOLE
GRAFITE E MATITA COLORATA SU CARTA DA SPOLVERO
GRAPHITE PENCIL ON TRACING PAPER

6. FIESOLE
GRAFITE E MATITA COLORATA SU CARTA DA SPOLVERO
GRAPHITE PENCIL ON TRACING PAPER

7. TALIESIN I
MATITA A GRAFITE, INCHIOSTRO SU LINO
GRAPHITE PENCIL, INK ON LINEN

8. TALIESIN I
INCHIOSTRO SU LINO
INK ON LINEN

9. TALIESIN I
INCHIOSTRO SU CARTA
INK ON PAPER

10. ADAMS, HARRY S. (A)
MATITA A GRAFITE SU CARTA DA SPOLVERO
GRAPHITE PENCIL ON TRACING PAPER

11. ESBENSHADE, E.E.
MATITA A GRAFITE SU CARTA DA SPOLVERO
GRAPHITE PENCIL ON TRACING PAPER

12. ESBENSHADE, E.E.
MATITA A GRAFITE SU CARTA DA SPOLVERO
GRAPHITE PENCIL ON TRACING PAPER

13. ESBENSHADE, E. E.
GRAFITE E MATITA COLORATA SU CARTA DA SPOLVERO
GRAPHITE AND COLOR PENCIL ON TRACING PAPER

14. ESBENSHADE, E.E.
INCHIOSTRO SU LINO
INK ON LINEN

15. GOETHE STREET HOUSE
GRAFITE E MATITA COLORATA SU CARTA DA SPOLVERO
GRAPHITE AND COLOR PENCIL ON TRACING PAPER

16. GOETHE STREET HOUSE
MATITA A GRAFITE, MATITA COLORATA, ACQUERELLO SU CARTA DA SPOLVERO
GRAPHITE PENCIL, COLOR PENCIL, WATERCOLOR ON TRACING PAPER

17. GOETHE STREET HOUSE
GRAFITE E MATITA COLORATA SU CARTA DA SPOLVERO
GRAPHITE AND COLOR PENCIL ON TRACING PAPER

18. BOOTH, SHERMAN
GRAFITE E MATITA COLORATA SU CARTA DA SPOLVERO
GRAPHITE AND COLOR PENCIL ON TRACING PAPER

19. BOOTH, SHERMAN
MATITA A GRAFITE SU CARTA DA SPOLVERO
GRAPHITE PENCIL ON TRACING PAPER

20. BOOTH, SHERMAN
SEPPIA
SEPIA

21. BOOTH, SHERMAN
SEPPIA
SEPIA

House for FLLW
At Fiesole — 1910

1005.03

1

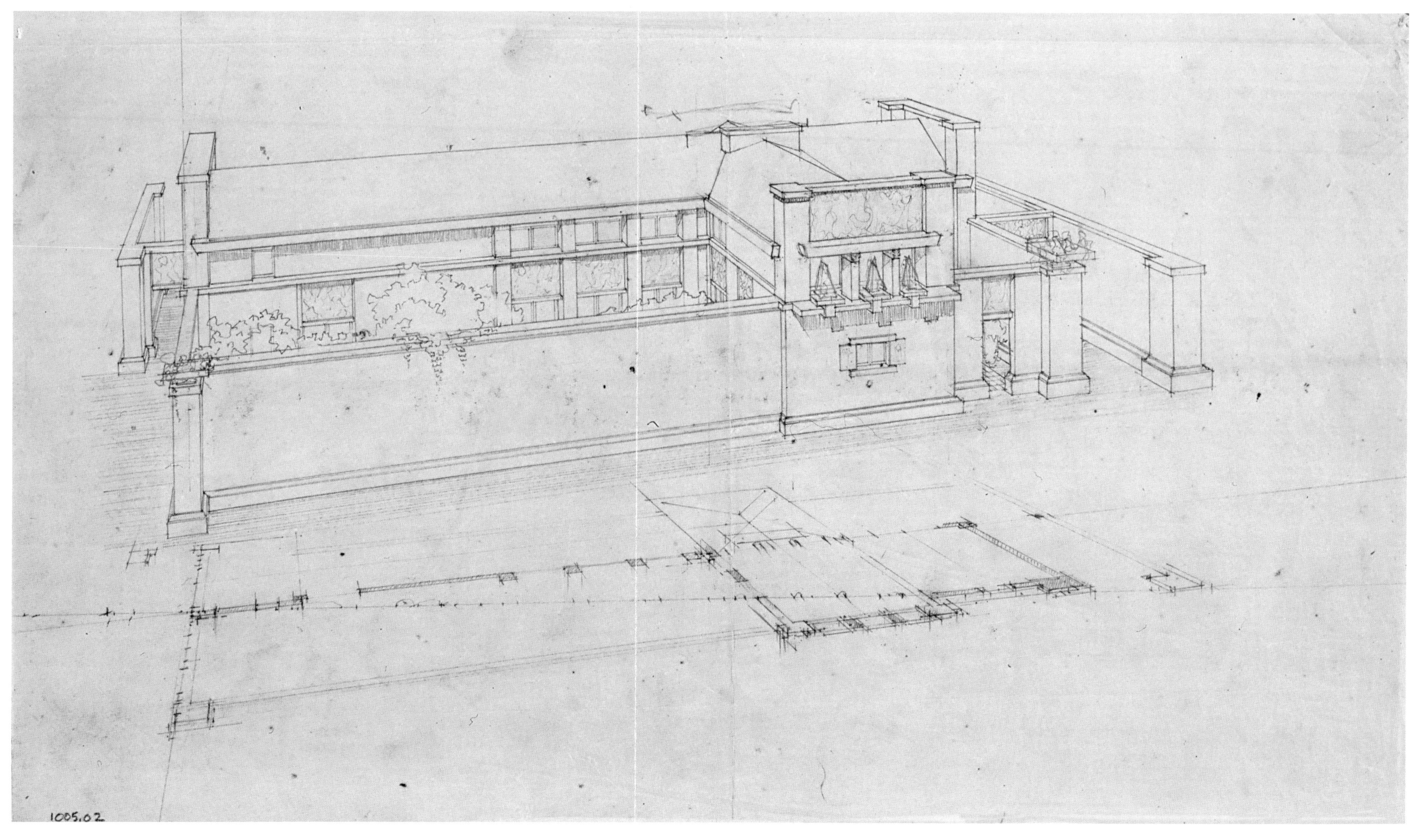
1005.02

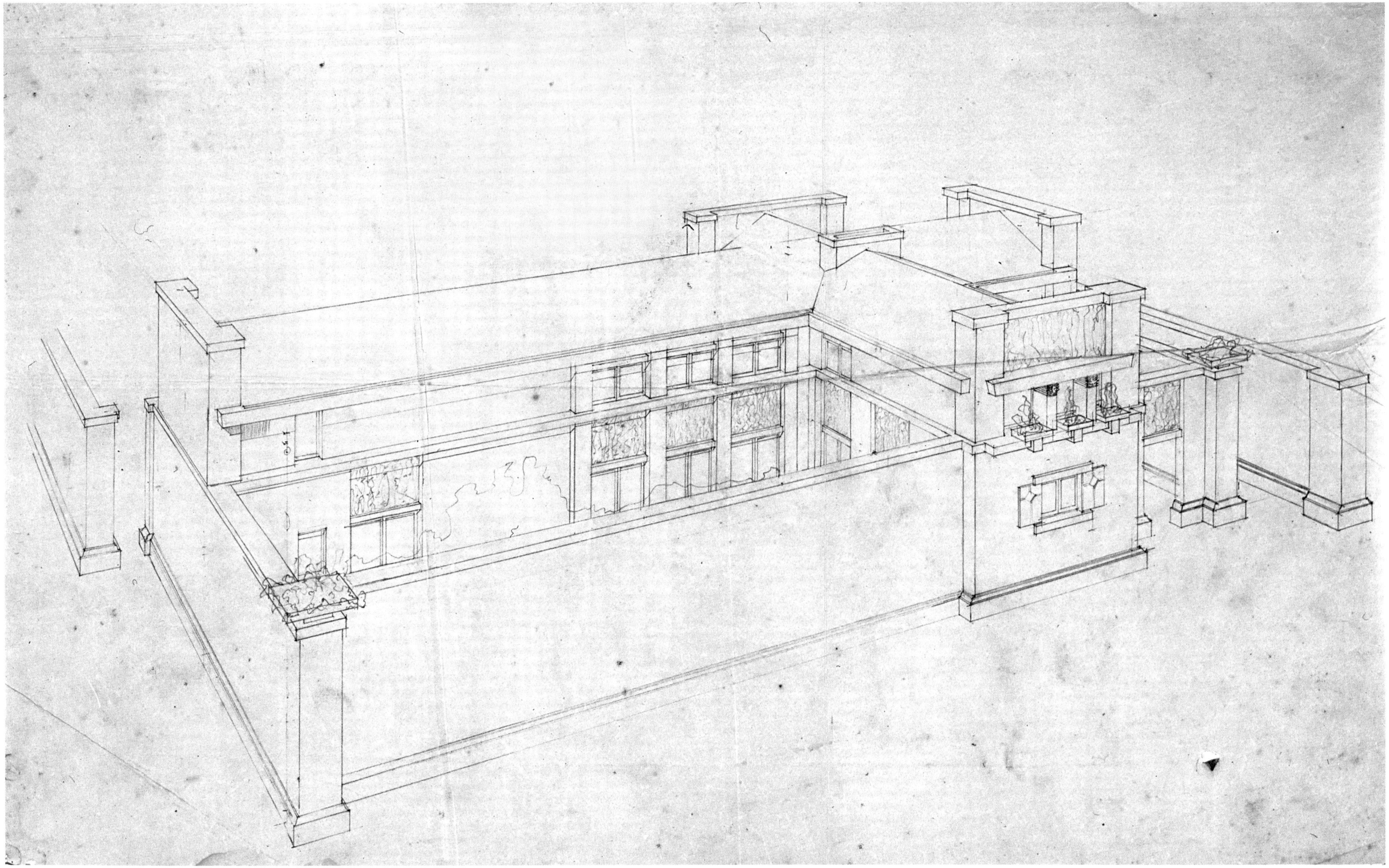

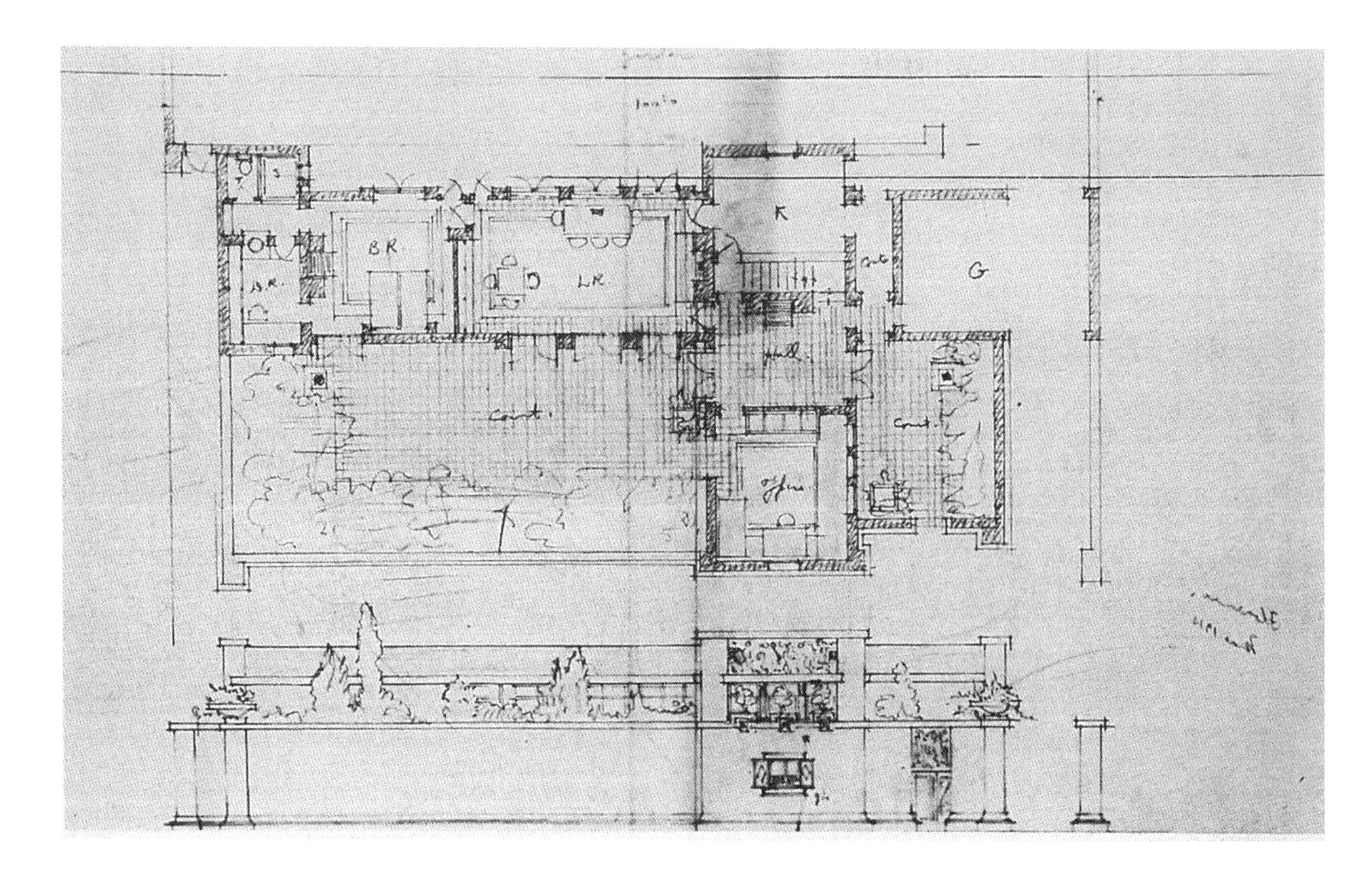
B.R.
L.R.
K
G

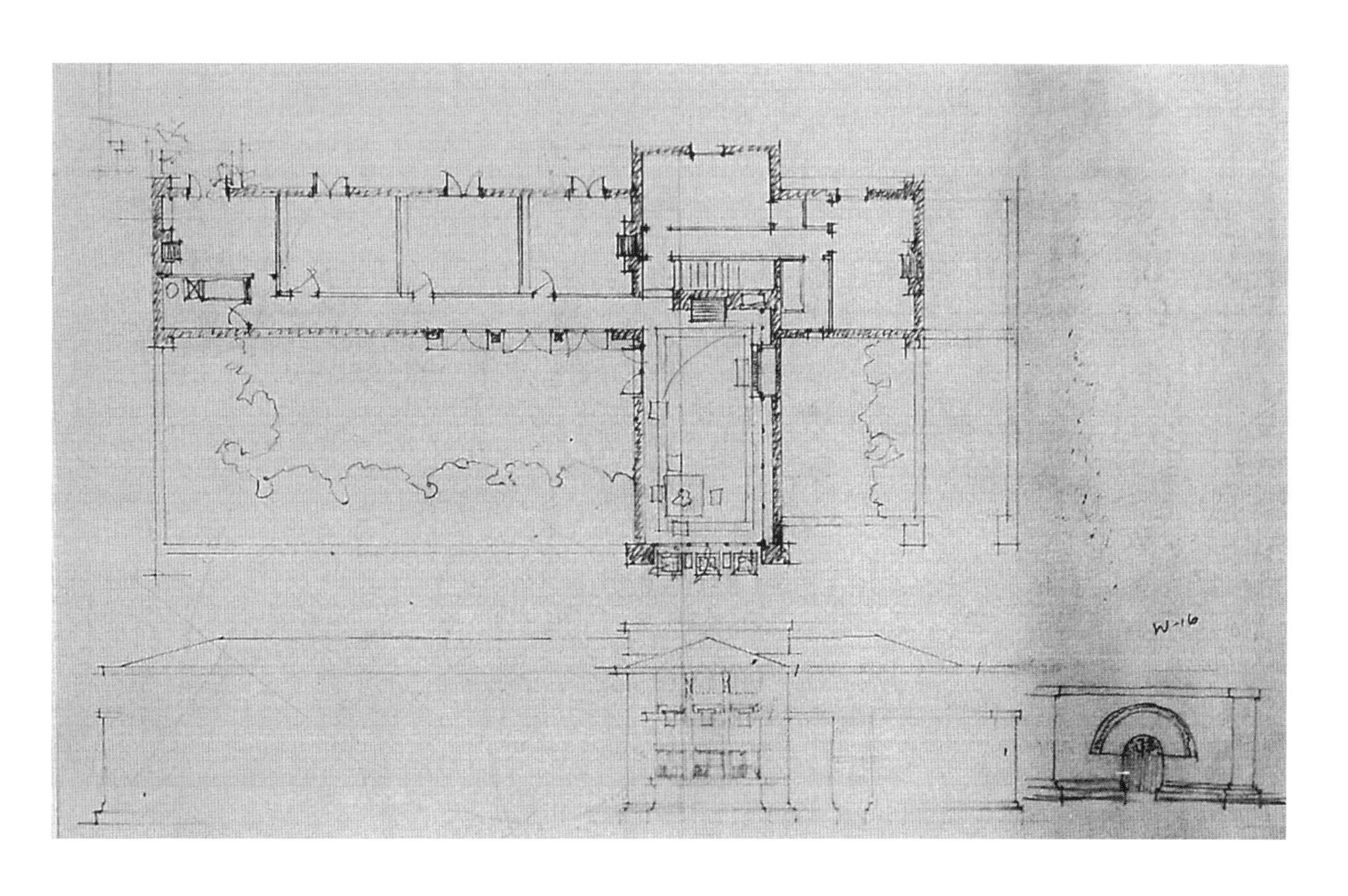
W-16

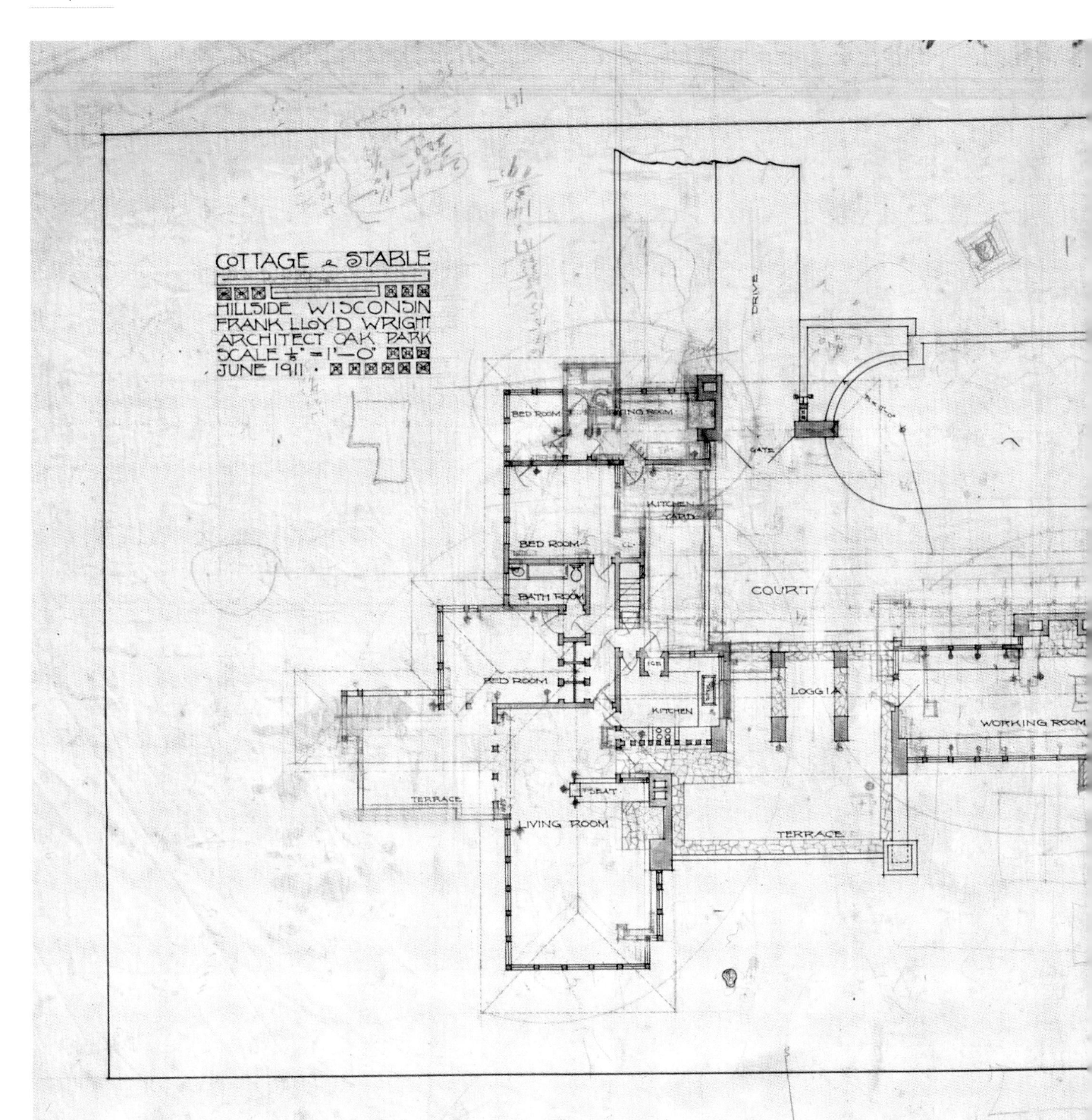
COTTAGE & STABLE
HILLSIDE WISCONSIN
FRANK LLOYD WRIGHT
ARCHITECT OAK PARK
SCALE 1/8" = 1'–0"
JUNE 1911
DRIVE
GATE
BED ROOM
KITCHEN
YARD
BED ROOM
BATH ROOM
COURT
ICE
BED ROOM
LOGGIA
KITCHEN
WORKING ROOM
SEAT
TERRACE
LIVING ROOM
TERRACE

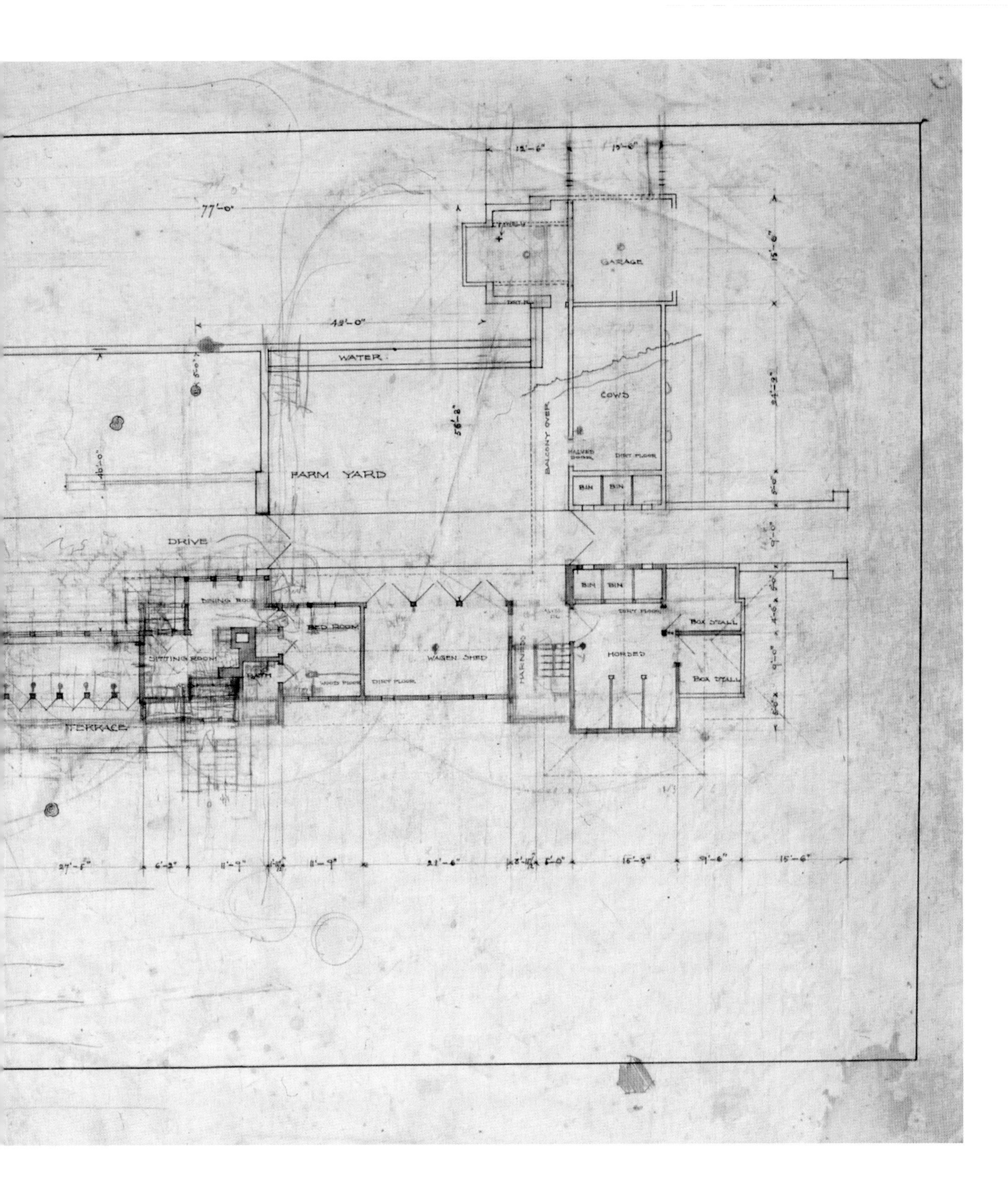
77'-0"
GARAGE
42'-0"
WATER
COWS
BALCONY OVER
FARM YARD
BIN
BIN
DRIVE
BIN
BIN
BOX STALL
HORSES
BOX STALL
HARNESS
WAGEN SHED
DIRT FLOOR
BED ROOM
SITTING ROOM
BATH
TERRACE
27'-5"
6'-2"
11'-9"
11'-9"
21'-6"
5'-0"
16'-8"
9'-6"
15'-6"

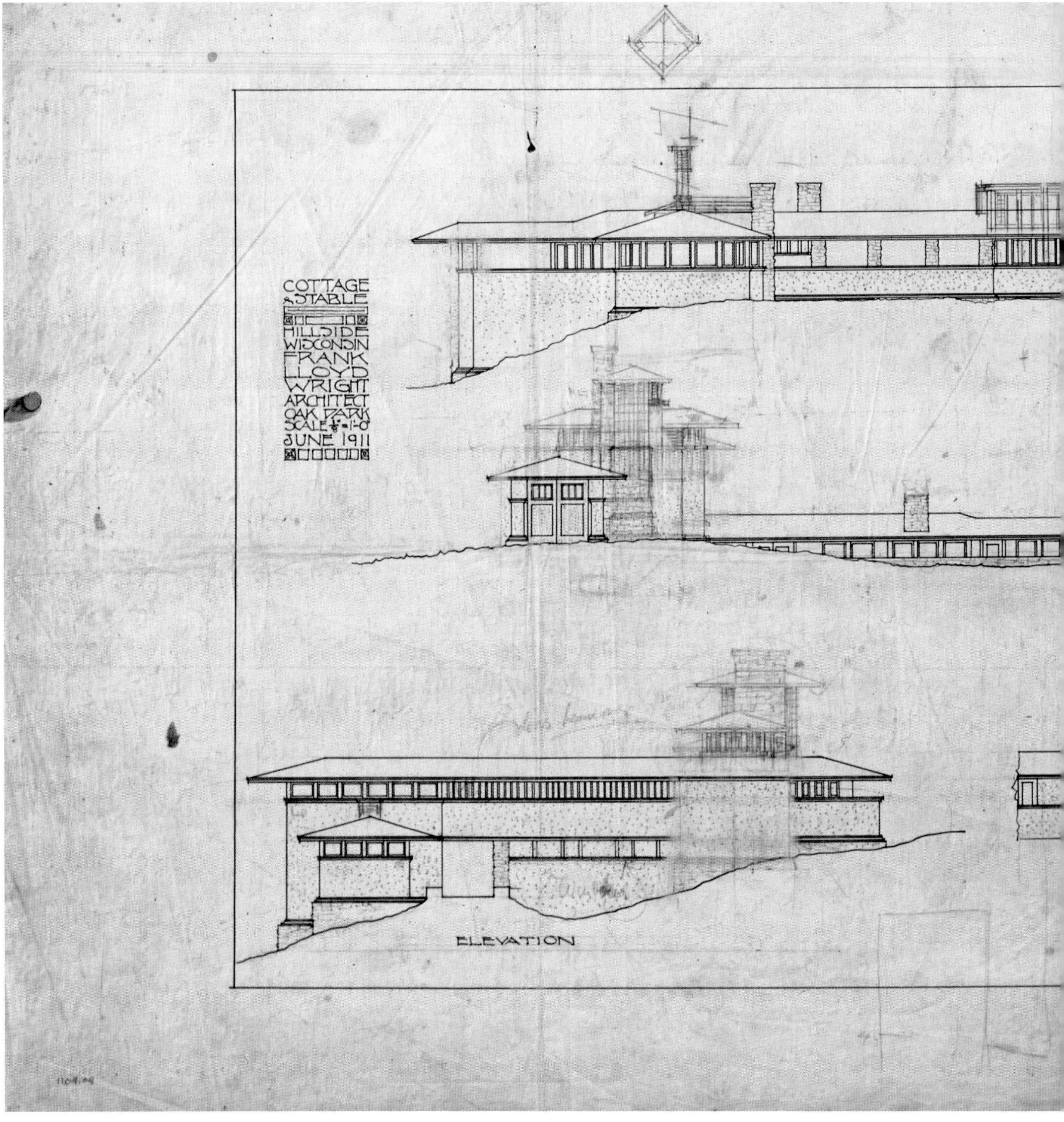

COTTAGE & STABLE
HILLSIDE WISCONSIN
FRANK LLOYD WRIGHT ARCHITECT
OAK PARK
SCALE 1/8"=1'-0"
JUNE 1911
ELEVATION

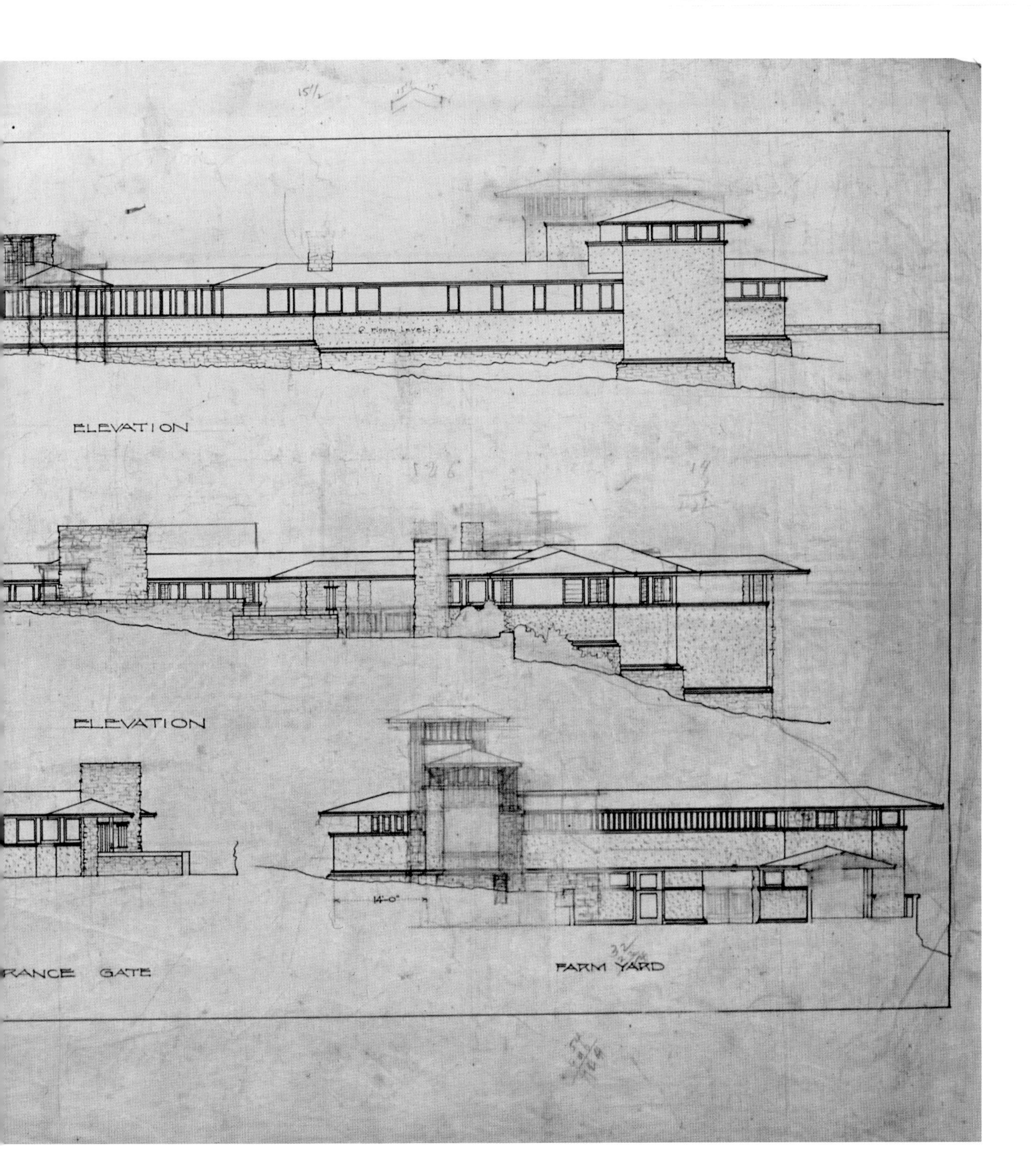
ELEVATION
ELEVATION
RANCE GATE
FARM YARD
14'-0"

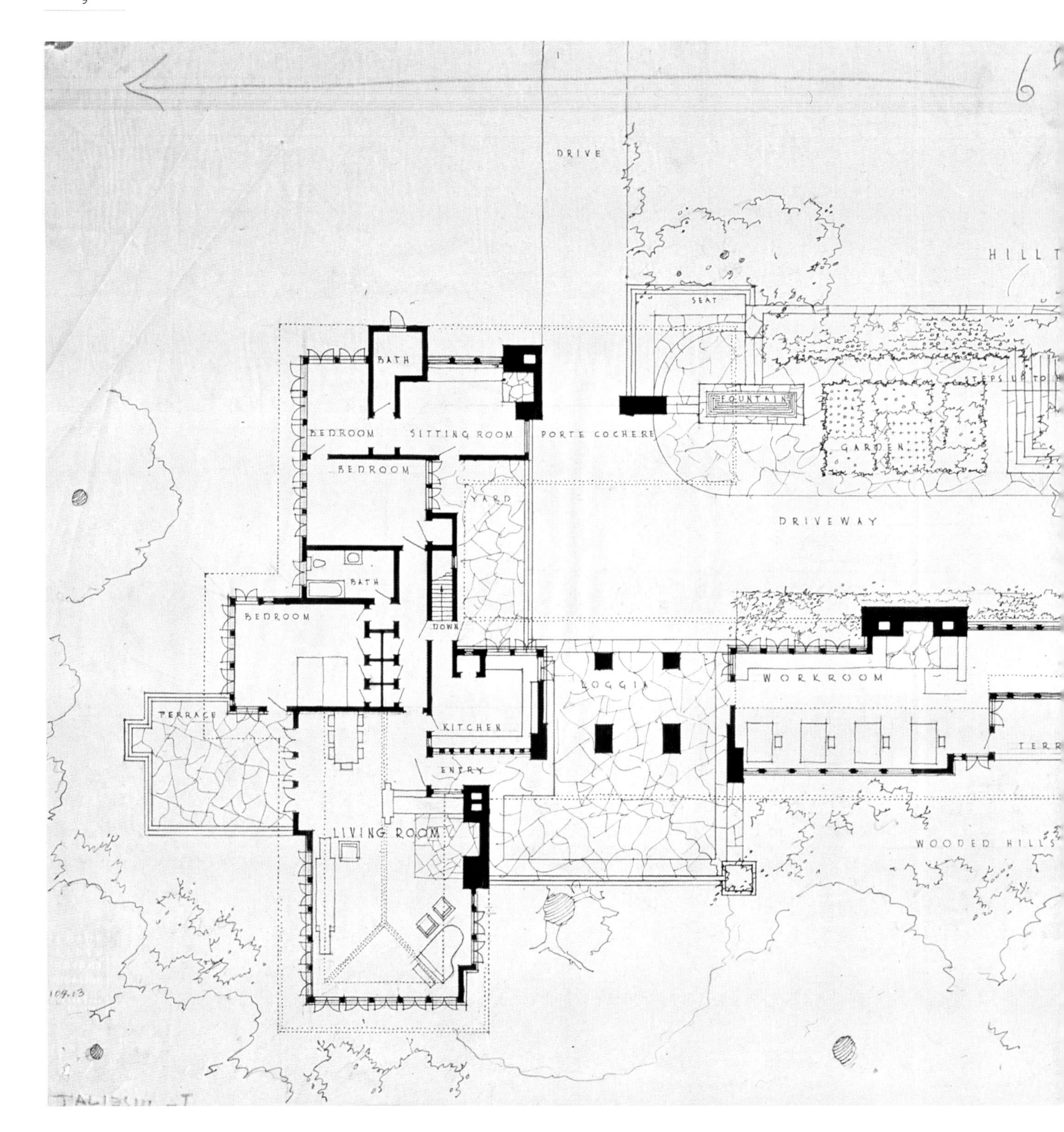
DRIVE
HILLT
SEAT
BATH
FOUNTAIN
STEPS UP TO
BEDROOM
SITTING ROOM
PORTE COCHERE
GARDEN
BEDROOM
YARD
DRIVEWAY
BATH
BEDROOM
DOWN
WORKROOM
LOGGIA
TERRACE
KITCHEN
ENTRY
TERR
LIVING ROOM
WOODED HILLS

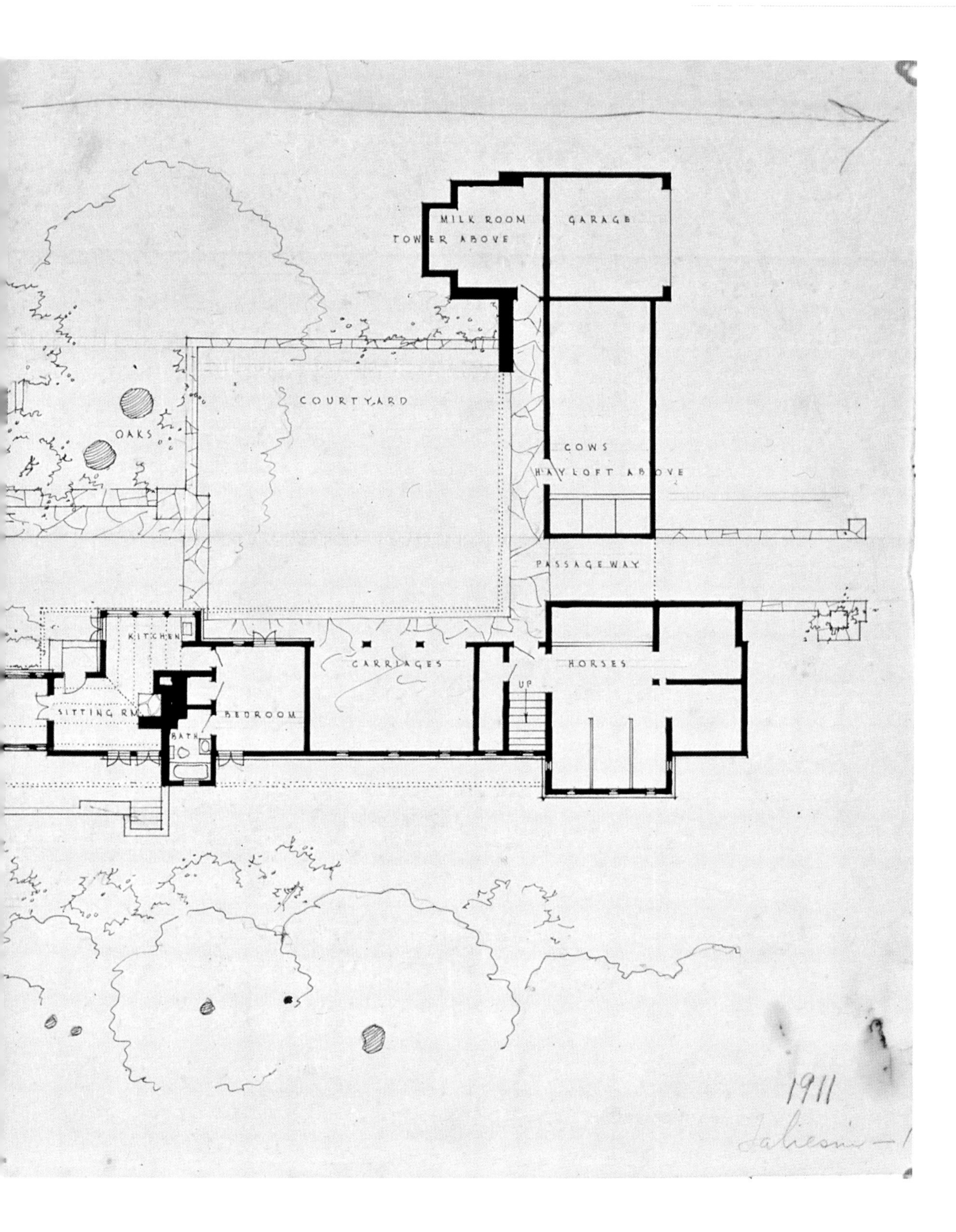
MILK ROOM
TOWER ABOVE
GARAGE
COURTYARD
OAKS
COWS
HAYLOFT ABOVE
PASSAGEWAY
KITCHEN
CARRIAGES
HORSES
UP
SITTING RM
BEDROOM
BATH
1911
Taliesin—1

1105.05

OK
Color rendering

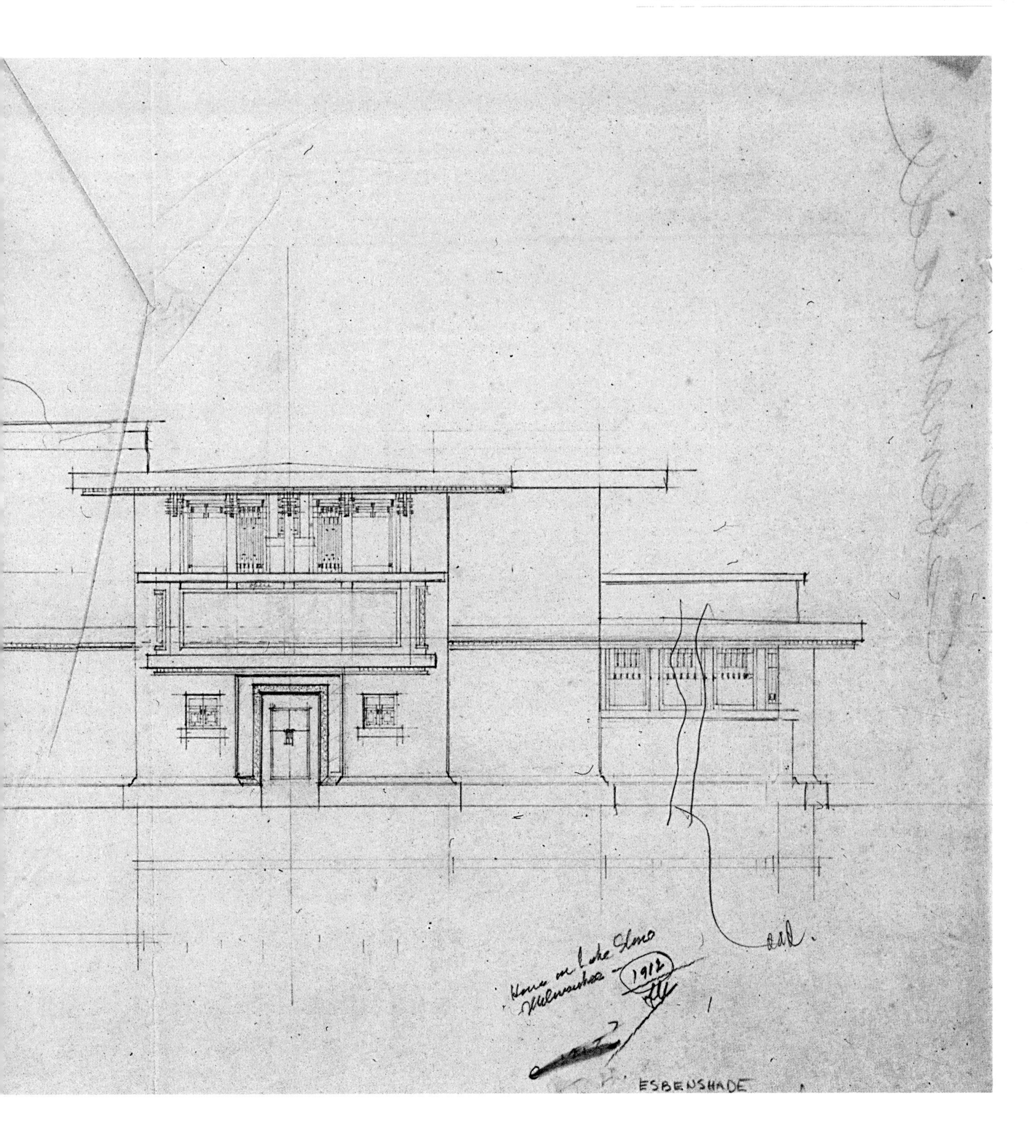
1912
ESBENSHADE

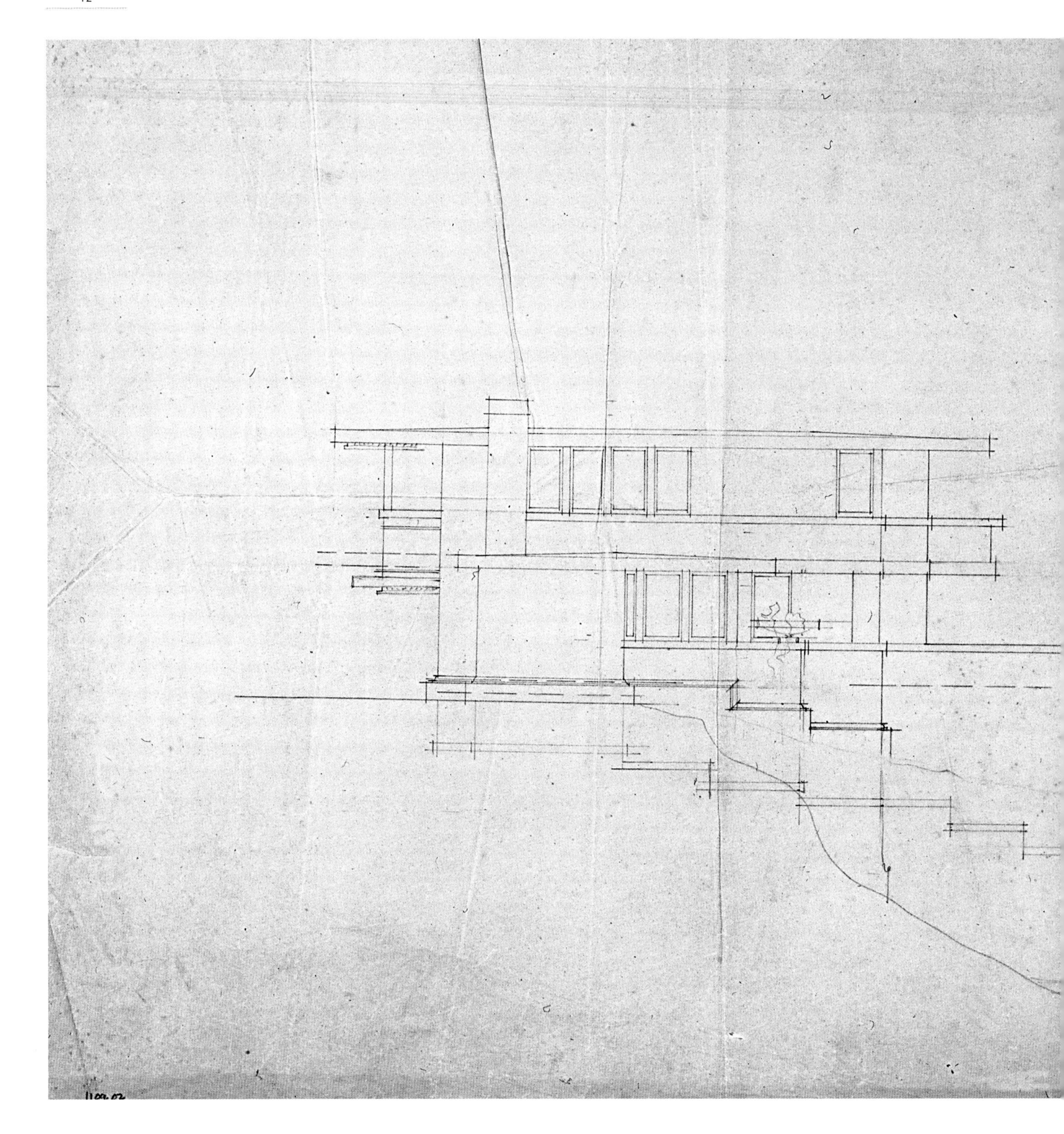

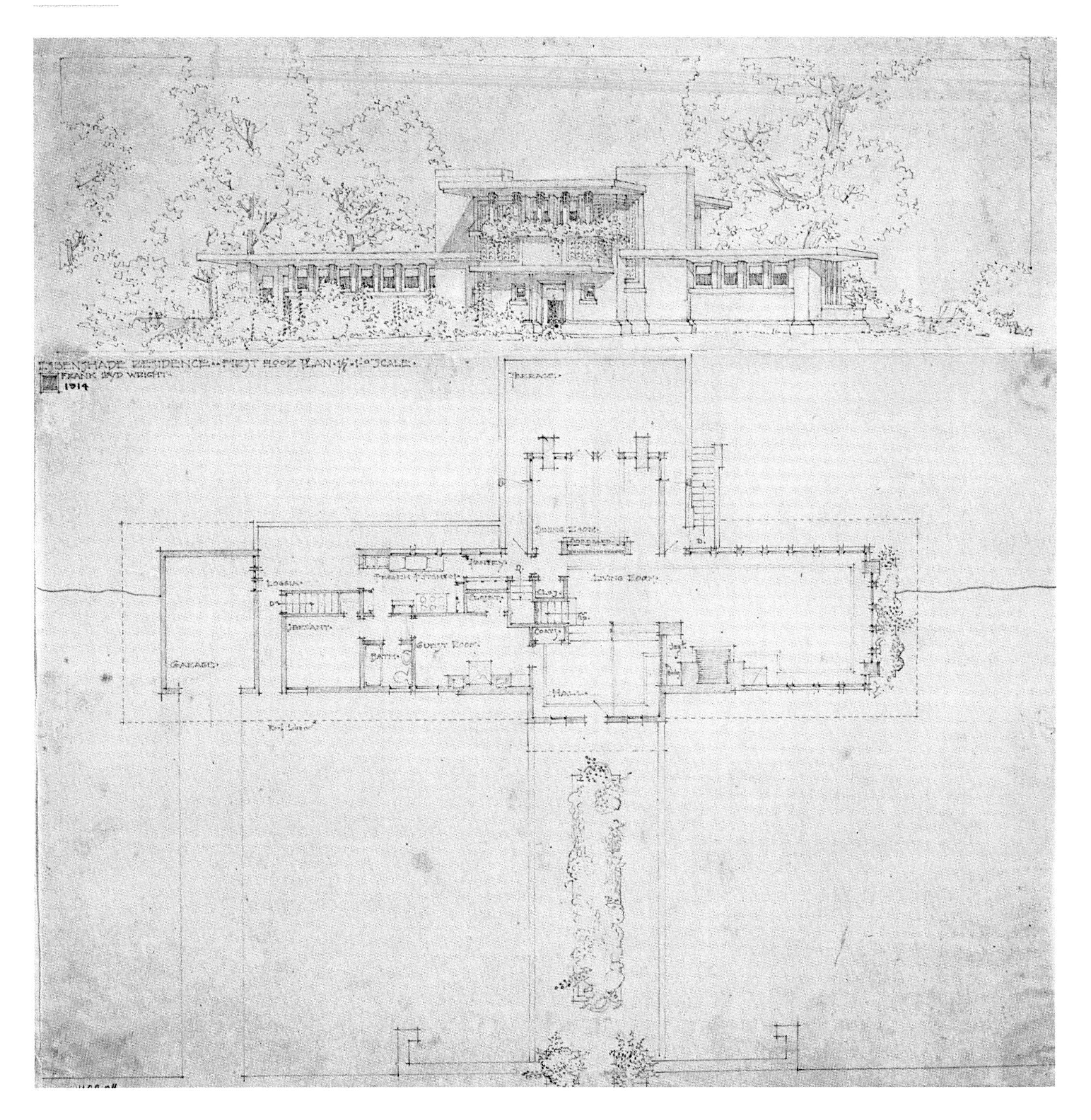
ESBENSHADE RESIDENCE · FIRST FLOOR PLAN · SCALE ·
FRANK LLOYD WRIGHT ·
1914
TERRACE
DINING ROOM
LIVING ROOM
PANTRY
LOGGIA
SERVANT
GUEST ROOM
BATH
HALL
GARAGE

ESBENSHADE·RESIDENCE·MILWAU

1109.1?

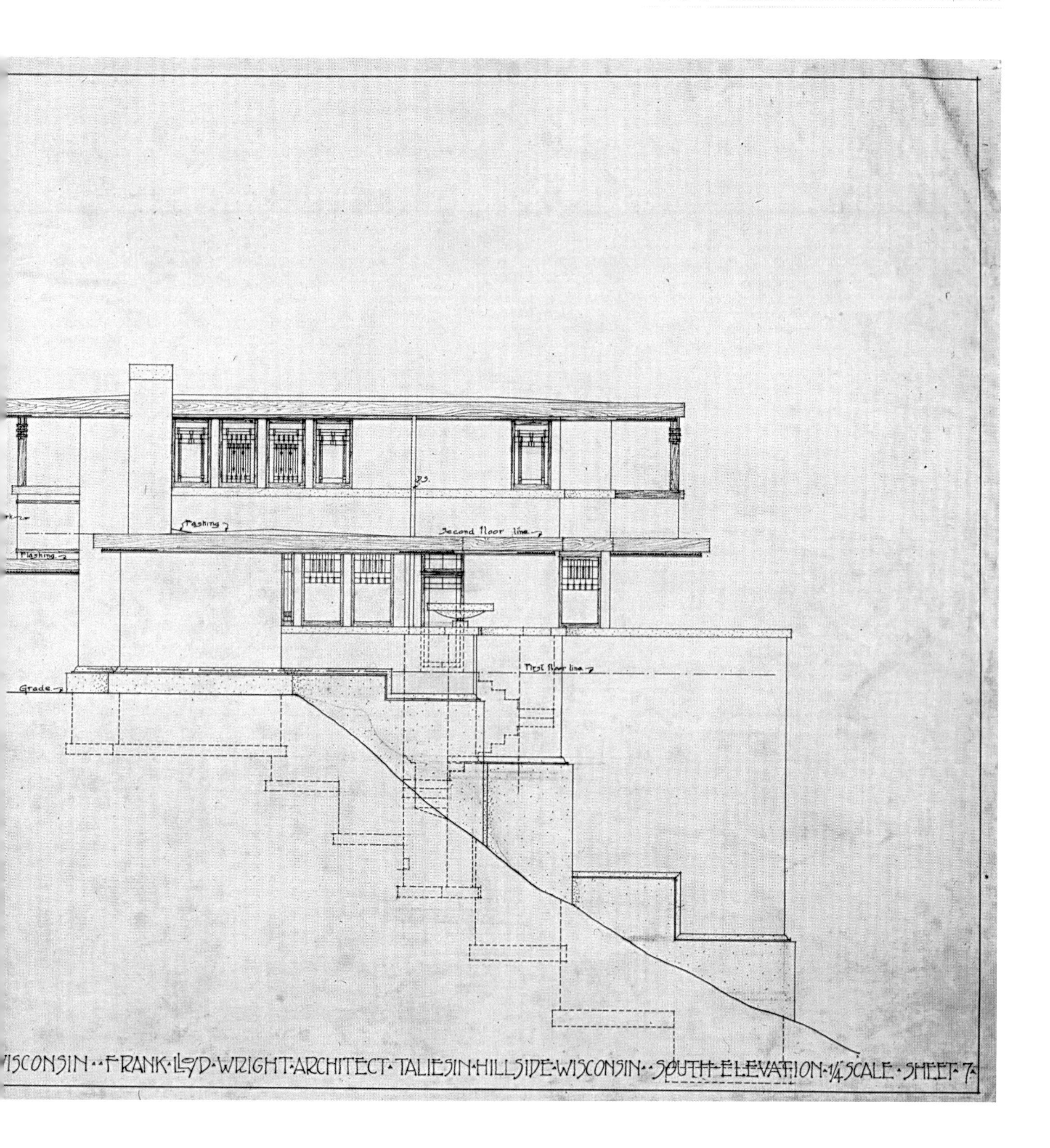
Flashing
Second floor line
Flashing
First floor line
Grade
...WISCONSIN · · FRANK · LLOYD · WRIGHT · ARCHITECT · TALIESIN · HILLSIDE · WISCONSIN · · SOUTH · ELEVATION · 1/4 SCALE · SHEET · 7 ·

·STREET ELEVATION·
·ONE INCH EQUALS FOUR FEET·

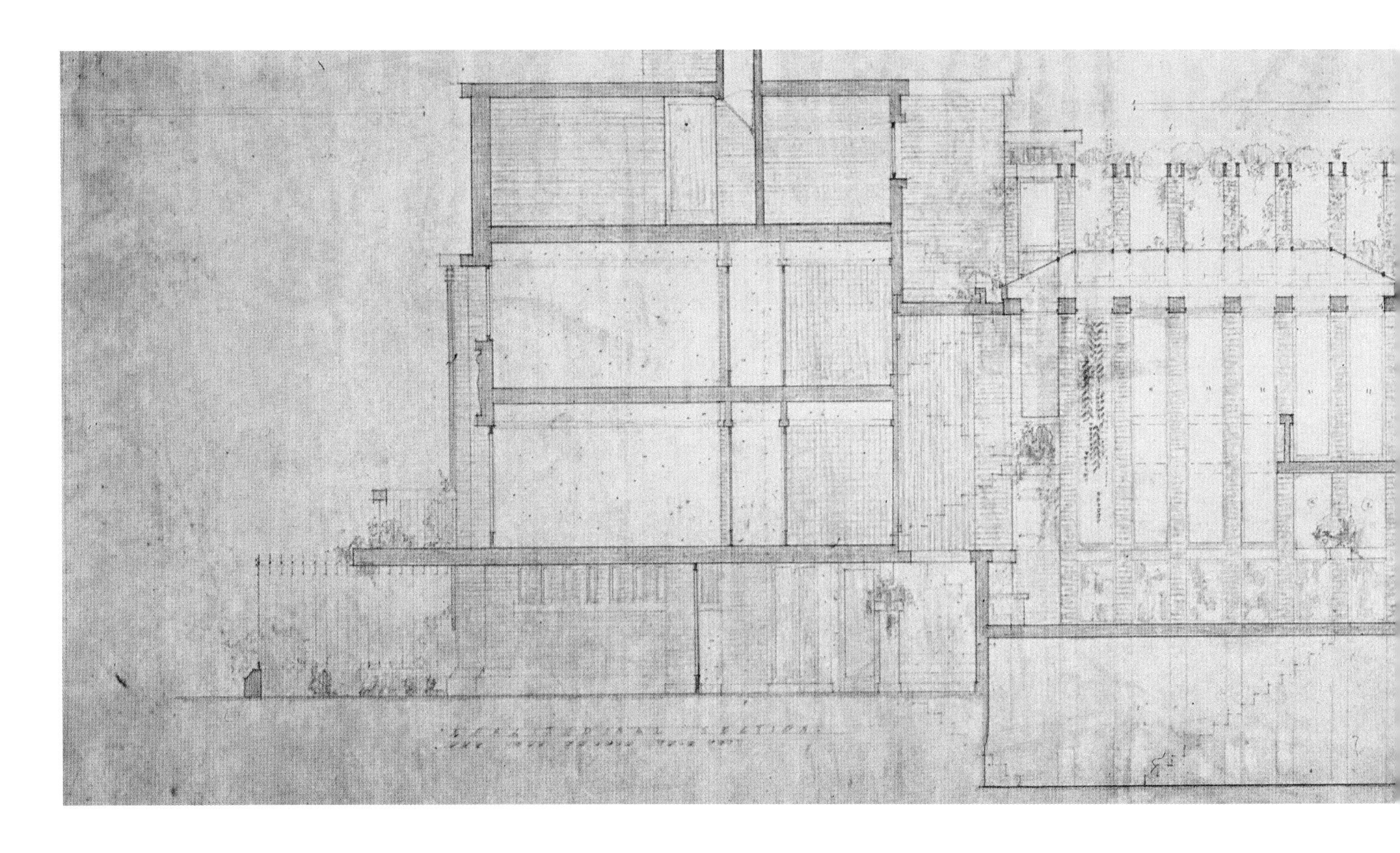

1911 Illustration for Simplicity X.

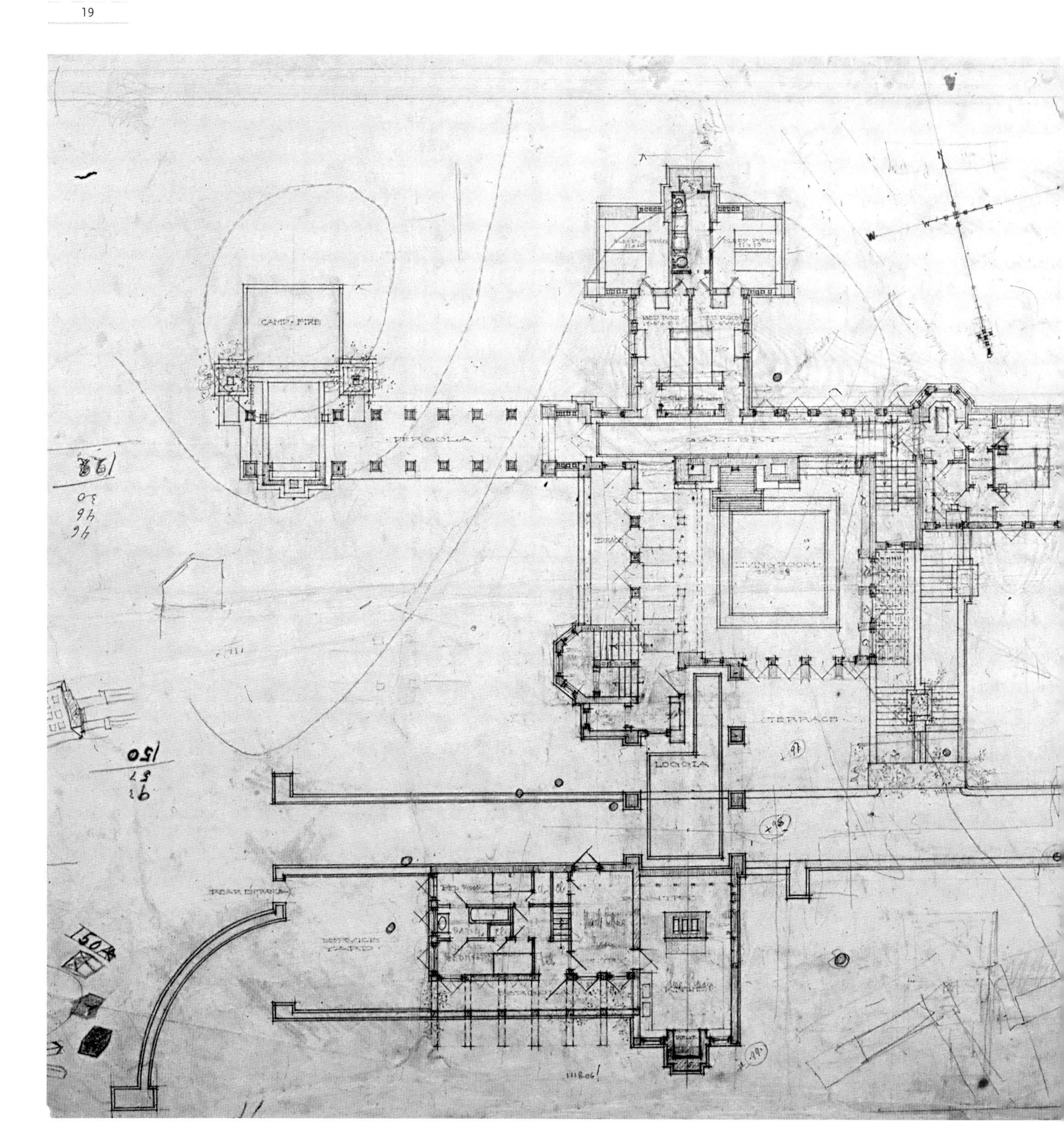
CAMP-FIRE
PERGOLA
GALLERY
TERRACE
LIVING ROOM
TERRACE
LOGGIA
REAR ENTRANCE
SERVICE YARD
KITCHEN
150

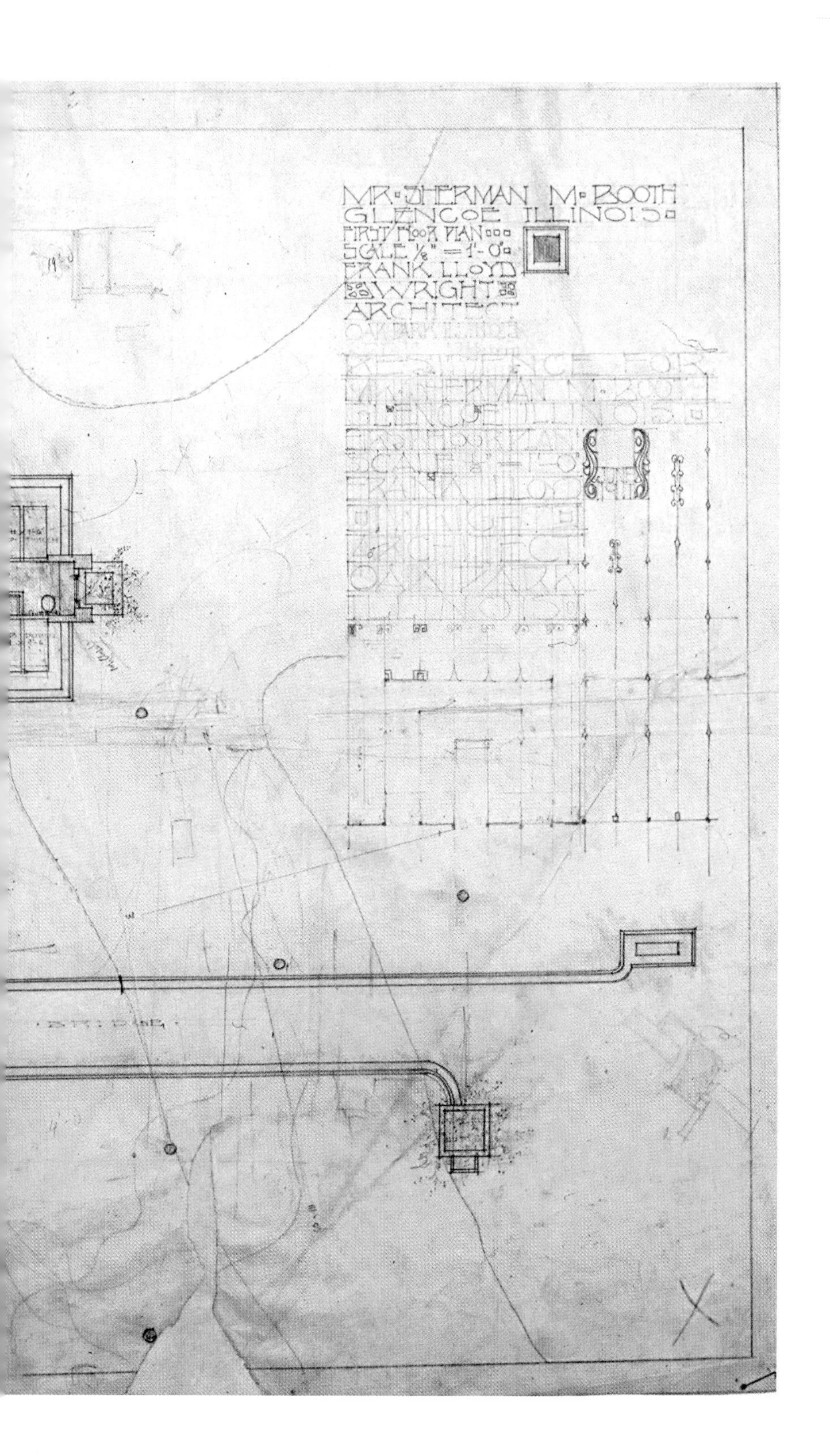
MR SHERMAN M BOOTH
GLENCOE ILLINOIS
FIRST FLOOR PLAN
SCALE 1/8" = 1'-0"
FRANK LLOYD
WRIGHT
ARCHITECT
RESIDENCE FOR
BRIDGE

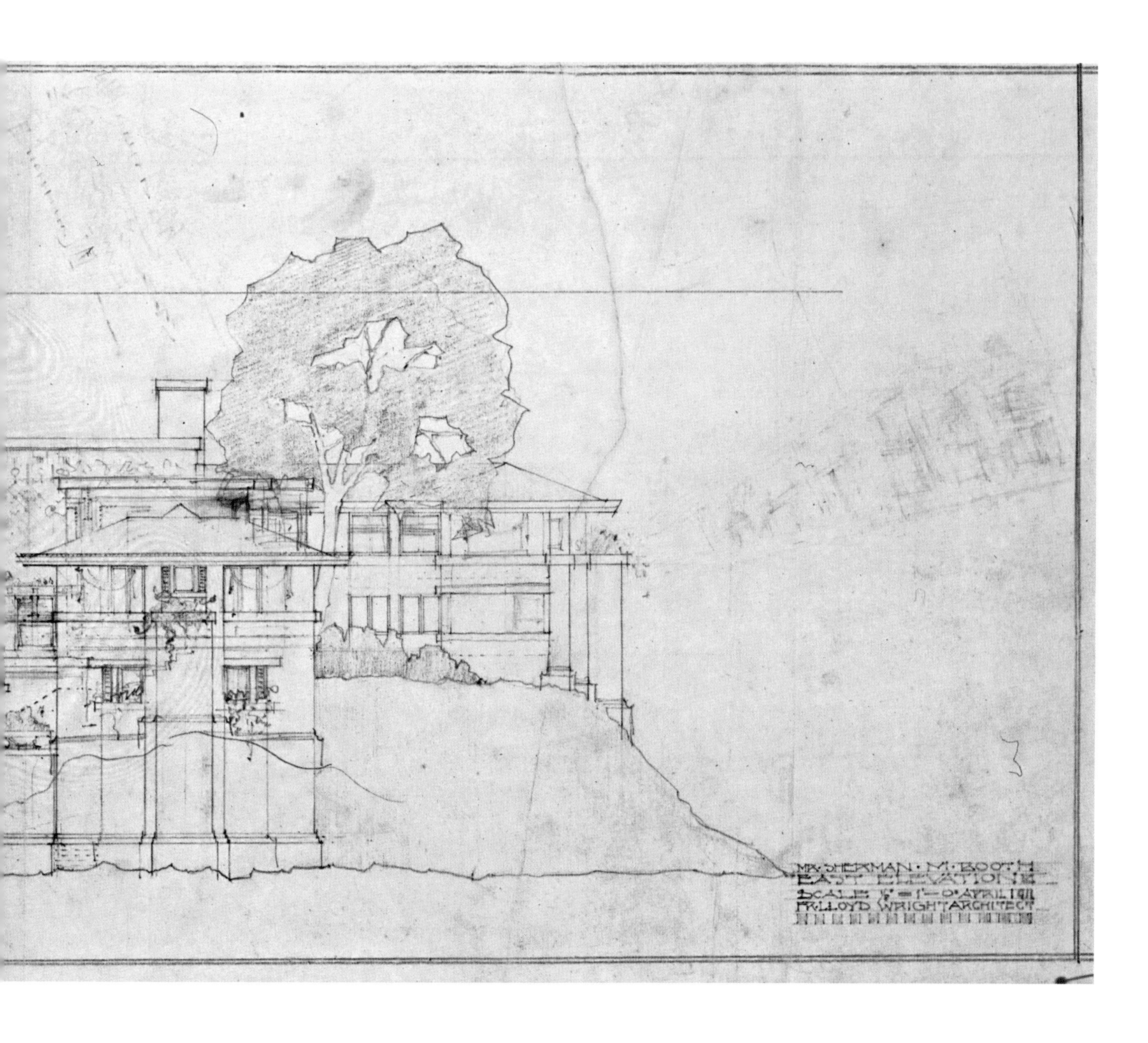
MR. SHERMAN · M · BOOTH
EAST ELEVATION
SCALE 1/8" = 1'—0" APRIL 1911
FR. LLOYD WRIGHT ARCHITECT

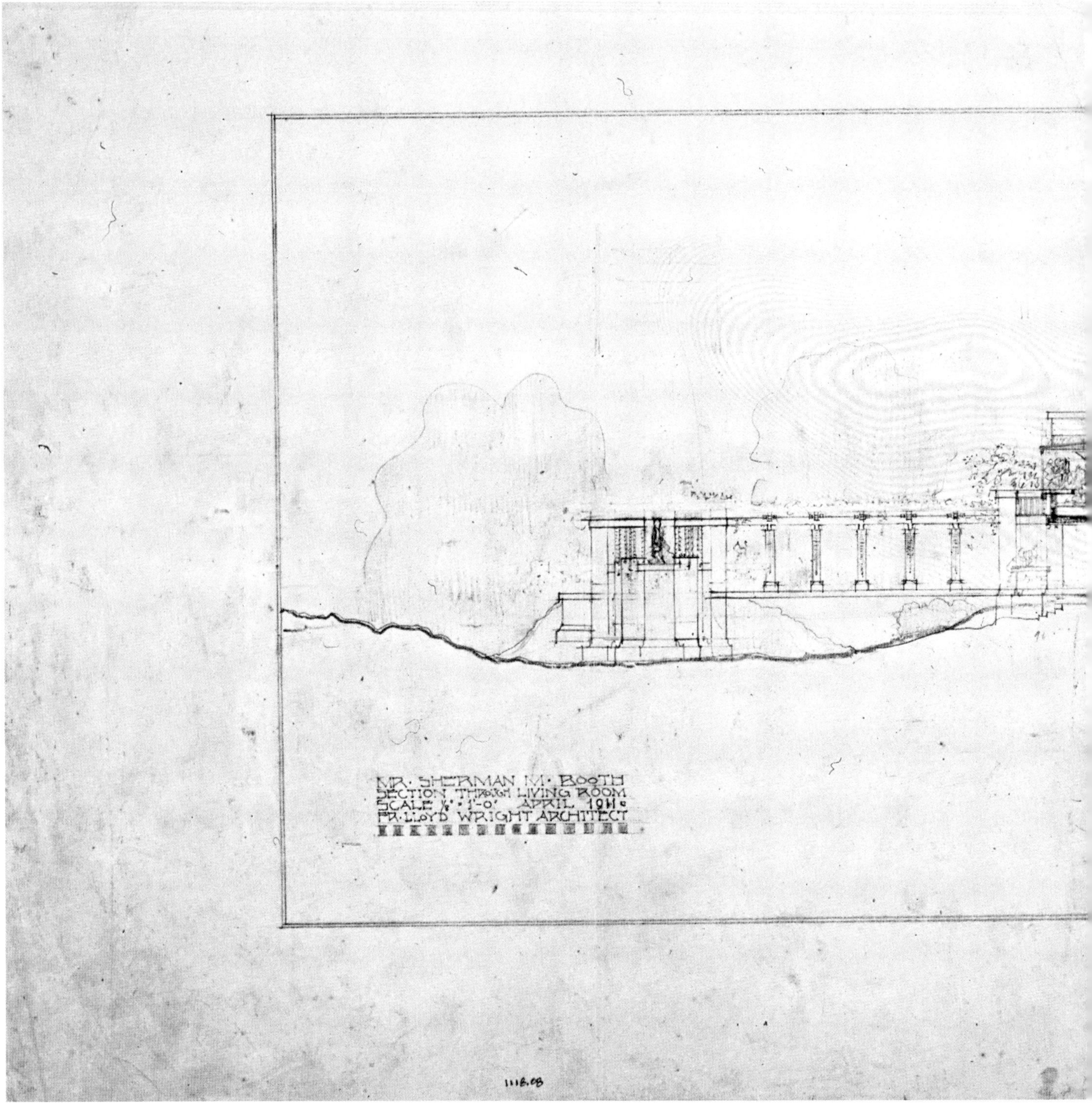

MR. SHERMAN M. BOOTH
SECTION THROUGH LIVING ROOM
SCALE 1/8" = 1'-0" APRIL 1911
FR. LLOYD WRIGHT ARCHITECT

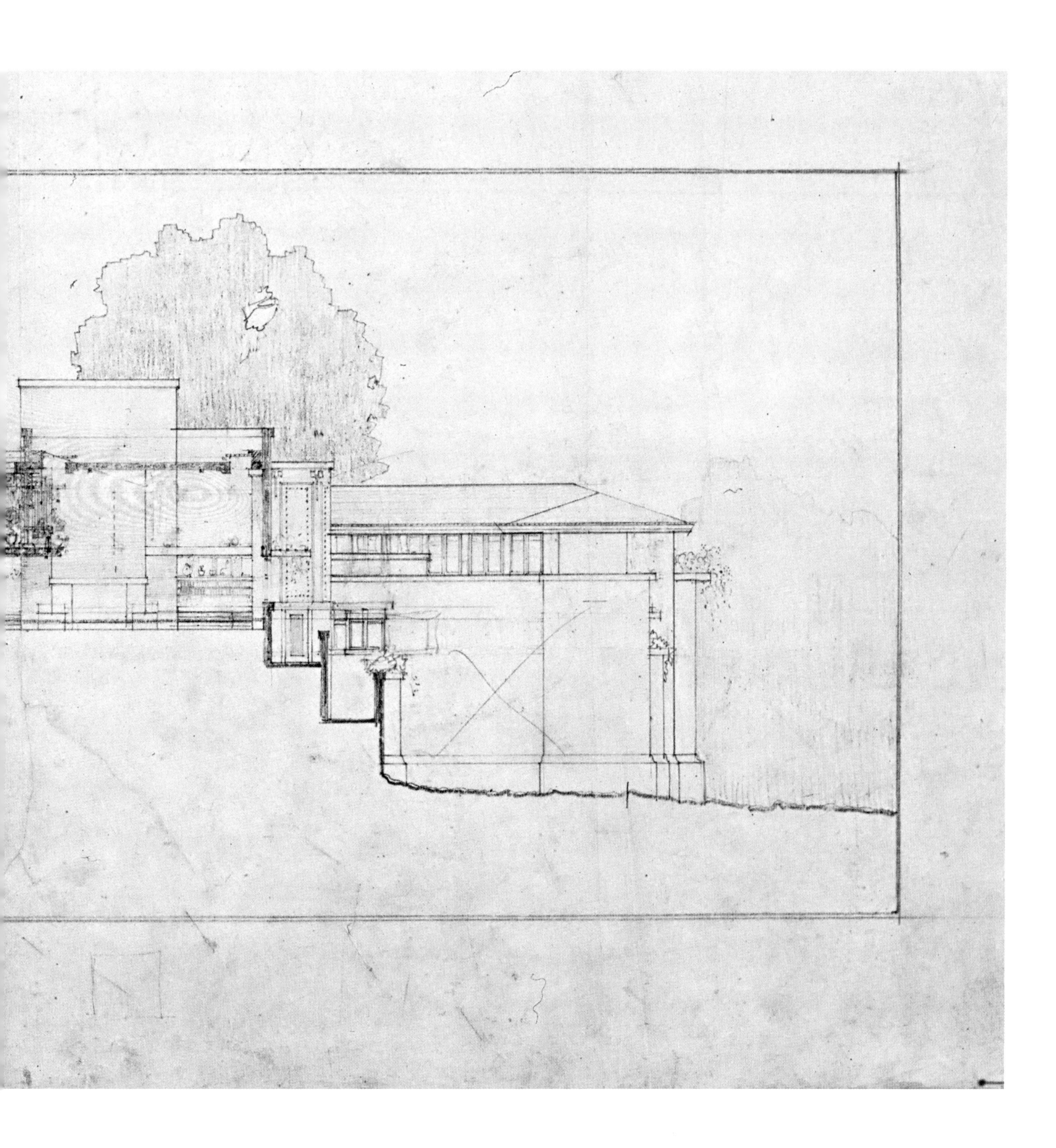

PROGETTO PER L'ABITAZIONE-STUDIO DELL'ARCHITETTO A FIESOLE
IPOTESI E RICOSTRUZIONE TRIDIMENSIONALE
RICCARDO RENZI

DESIGN FOR THE ARCHITECT'S HOUSE-STUDIO IN FIESOLE
PLAN AND 3D RECONSTRUCTION
RICCARDO RENZI

VISTA DA TERRA

VIEW FROM THE GROUND

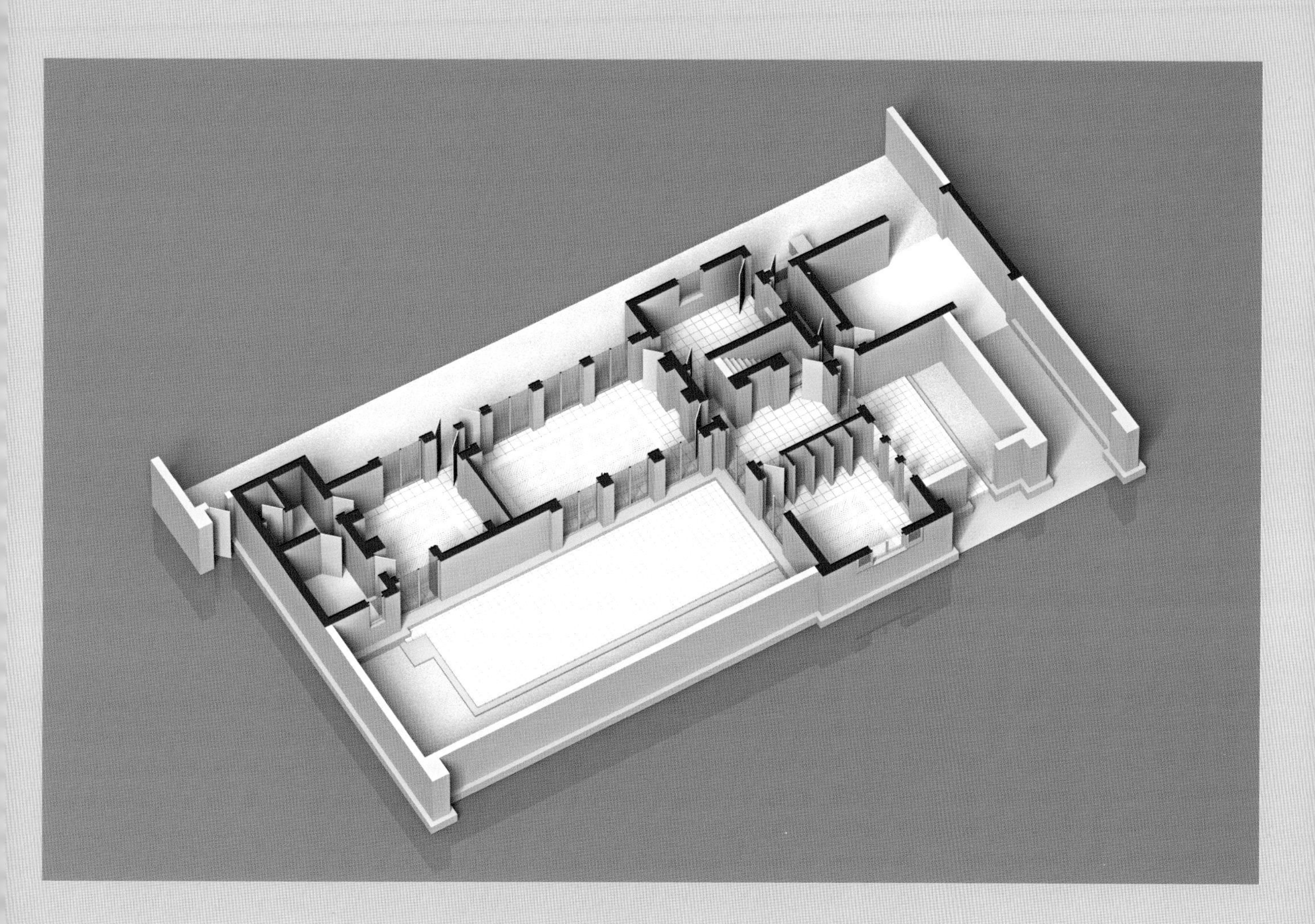

SEZIONE ORIZZONTALE SUL PIANO TERRA

Horizontal section on the ground floor

QUANDO LA MOSTRA DI WRIGHT NEL 1951 PORTÒ A PALAZZO STROZZI IL VENTO DELLA MODERNITÀ

Veronica Ferretti

Oscar Stonorov, lecourbusiano per intelletto, wrightiano per istinto, organizzò la mostra del 1951 a Palazzo Strozzi, una lezione che sarà interiorizzata qualche anno dopo da Giovanni Michelucci e confessata dall'architetto pistoiese in una lettera allo scultore Jorio Vivarelli.

Nel giugno del 1951, in occasione del ritorno in Italia di Frank Lloyd Wright per ricevere la cittadinanza onoraria di Firenze a Palazzo Vecchio e la laurea honoris causa a Palazzo Ducale di Venezia, Oscar Stonorov architetto- urbanista russo-americano e lo storico dell'arte Carlo Ludovico Ragghiant allestirono a Palazzo Strozzi una mostra antologica che ebbe il merito di far conosere all'Italia la grandezza di Wright.
Nella mostra trovarono posto un enorme plastico di Broadacre City e gigantografie che riproducevano alcune delle sue opere più famose. Anthony Alofsin, che accompagnava il Maestro, disse che in quel palazzo rinascimentale sembrava che "il vecchio mondo ringraziasse il nuovo per l'inaudita creatività di Wright"[1] e aggiunse: "Quando Wright visitò la mostra e suggerì alcune piccole variazioni, Oscar Stonorov gli disse gentilmente, ma con fermezza, che niente sarebbe stato modificato perchè quella era stata concepita come la sua prima mostra postuma con il cadavere ancora in vita".[2]
Con la mostra di Palazzo Strozzi Wright tornava a Firenze dopo il soggiorno fiesolano del 1910 per proporre un'idea di architettura definita "organica" in quanto concepiva l'edificio come un organismo che si sviluppa similmente agli esseri viventi. Tale concezione veniva a superare la lezione della Bauhaus la quale, dal 1919 in poi, aveva rappresentato il più alto sviluppo del Razionalismo tedesco, ed anche le teorie del Movimento Moderno che dagli anni Venti si erano identificate con l'*International Style*.
Il merito dell'organizzazione dell'evento espositivo fiorentino del 1951 va attribuito all'architetto Oscar Stonorov che era stato tra i primi a scegliere la "frontiera americana" dopo aver lavorato nello studio di Andrè Lucrat a Parigi , aver studiato al Politecnico di Zurigo. Una parte significativa della sua vita l'aveva poi dedicata, assieme a Willy Boesiger e Max Bill, allo studio e al riordino degli archivi di Le Courbusier il cui primo volume era già stato pubblicato nel 1929.
L'America di quegli anni, tra crisi economica e promesse del New Deal, avrebbe suggerito ai nuovi architetti interventi nell'ambito dell'edilizia sociale sovvenzionata sostenuti dal sistema politico e destinati alla promozione economica e sociale del paese. Nell'ambito di tale movimento di opinione Stonorov diventò presto uno dei maggiori protagonisti e fondò la *Labor Housing Conference* i cui lavori avrebbero contribuito al nascere della legislazione Wagner-Steagall destinata ad imprimere un volto nuovo allo sviluppo urbano. I suoi lavori e i suoi programmi di edilizia popolare sovvenzionata sono ancora oggi considerati l'opera di un vero e proprio pioniere.
Quando Stonorov arrivò a Firenze, dove cercò casa e si attivò per organizzare la mostra di Wright, avendo passione per la scultura

coltivata a Parigi fin dagli anni '30 nello studio di Aristide Maillol, prese contatto con la fonderia pistoiese di Renzo Michelucci, fratello del celebre architetto Giovanni.
Recatosi alla fonderia Michelucci avvenne il primo l'incontro-scontro con lo scultore pistoiese Jorio Vivarelli che, in seguito, ebbe così a ricordare quell'episodio. "Era una domenica mattina e dovevo consegnare un lavoro. Ero solo e Stonorov pretendeva di entrare. Poichè non mi sentivo autorizzato a farlo, chiusi il cancello mentre lui con insistenza replicava: lei non sa chi sono io!"[3] Si sentiva fiorentino e, come diceva di se stesso, si riteneva "lecourbusiano per intelletto, wrightiano per istinto".
Il secondo incontro tra Stonorov e Vivarelli avvenne alla mostra di Wright a Firenze. Da quel momento nacque tra i due una grande e durevole amicizia che portò, nella città Philadeplfia, alla realizzazione di due splendide fontane, *Ragazze toscane* e *Adamo ed Eva* e dello straordinario bozzetto, *Riti di primavera,* vincitore del concorso internazionale di piazza Kennedy.
Si sarebbe poi aperto il grande cantiere di Blake Lake per la realizzazione del *Family Education Center* voluto da Walter Reuther presidente dell'*United Auto Workers Union*. Il sodalizio con lo scultore pistoiese cessò, purtroppo, l'8 maggio del 1970 allorché Stonorov morì, assieme a Walter Reuther, in un incidente aereo per cause che non sono state mai chiarite fino in fondo.[4]
La propensione di Stonorov per una architettura di valenza sociale e la diffusione delle idee del geniale Frank Lloyd Wright influenzeranno anche l'opera dell' architetto Giovanni Michelucci negli anni in cui si frequentavano presso l'omonima fonderia pistoiese. Michelucci, che aveva grande stima sia di Wright che di Vivarelli, scrisse a quest'ultimo una lettera confidenziale nella quale confessava che: "Non mi interessa più nulla di quello che ho fatto, perché mi sconforta aver esercitato una professione che mi ha distolto da impegni sociali e civili molto più seri e mi ha portato ad essere uno strumento del 'sistema'..."[5]
Potremmo dire che Michelucci, dopo aver realizzato la chiesa-tenda dell'Autostrada del Sole, sembrava rimpiangere di non essersi dedicato totalmente ad una architettura moderna impegnata ad assolvere i bisogni delle comunità urbane per una sempre miglior condizione di vita sociale.

1) Il testo originale è pubblicato in A. Alofsin (a cura di), *Frank Lloyd Wright. Europe and Beyond*, Berkeley, Los Angeles-London, 1999.
2) op.cit.
3) Ferretti V., *Intervista a Jorio Vivarelli*, Fondazione Vivarelli, Pistoia, 1997.
4) C.S. *È morto il sindacalista Reuther in un incidente aereo nel lago Michigan* in "Corriere della sera", 11 maggio 1970, p. 15.
5) Giovanni Michelucci a Jorio Vivarelli, Fiesole, 26.10.1971, lettera inedita e conservata presso l'archivio della Fondazione Pistoiese Jorio Vivarelli.

WHEN THE WRIGHT EXHIBITION BROUGHT AN AIR OF MODERNITY IN PALAZZO STROZZI

Veronica Ferretti

Oscar Stonorov, 'The Le Corbusier way for intellect, the Wright way for instinct', organized the 1951 exhibition at Palazzo Strozzi, a lesson that many years later would be digested and acknowledged by the Pistoiese architect Giovanni Michelucci in a letter to the sculptor Jorio Vivarelli.

In the June of 1951, on the occasion of the return of Frank Lloyd Wright to Florence, Oscar Stonorov – an American/Russian architect/city planner along with the art historian Carlo Ludovico Ragghiant, staged an anthology exhibition that would show Italy how great Wright was. Frank Lloyd Wright was returning to Italy to receive an honorary citizenship of Florence at the Palazzo Vecchio and an honorary degree from the Palazzo Ducale in Venice.
An enormous three-dimensional plastic model of Broadacre City and enlarged pictures recreating a few of his most famous work was included in the exhibition. Antony Alofsin who was accompanying the 'maestro' on his trip said that in that Renaissance Palace, it seemed that ..."the old world would give thanks to the new for the inconceivable creativity of Wright."[1] and added: "When Wright saw the exhibition and suggested a few small changes, Oscar Stonorov replied nicely but firmly that nothing would be modified because it was devised as his first posthumous exhitbiton with the person still alive."[2]
With the Palazzo Strozzi exhibition Wright returned to Florence, after his initial 1910 stay in Fiesole, to propose an idea on architecture defined as 'organic architecture' in which the building is conceived as an organism that develops itself, similar to being alive. Such a concept was starting to overtake the theories of Bauhaus that from 1919 onwards, represented the highest development of German Rationalism and the theories of the modern movement which from the 1920's were identified with the 'International Style'.
The credit for the organization of the exhibition in Florence in 1951 is attributed to the architect Oscar Stonorov who was one of the first to choose the 'American Frontier' after having worked in the studio of Andre' Lucrat in Paris and having studied at the Zurich Polytechnic. Along with Willy Boesiger and Max Bill, one significant part in his life whilst at the studio was dedicated to reorganizing the archives of Le Corbusier, of which the first volume had already been published in 1929.
America at that time, between economic crises and the promises of the New Deal, had suggested to the new architects modifications to the social building trade which would be subsidized by the political system. This was intended to boost the economic and social advancement of the country. Due to such a change of opinion, Stonorov soon became one of the major players and established the 'Labor Housing Conference' in which his work contributed to the birth of the 'Wagner-Steagall' legislation giving a new face to urban development. His work and his popular subsidized building programs are still considered today to be the work of a true pioneer.
When Stonorov arrived in Florence he began looking for somewhere to stay and started organizing the Wright exhibition. Arriv-

ing with a passion for the sculpture cultivated in Paris at the end of the 1930's in the studio of Aristide Maillol, he immediatedly contacted the foundry in Pistoia of Renzo Michelucci, the brother of the celebrated architect Giovanni.
On arrival at the Michelucci foundry, he had his first disagreeable encounter with the Pistoiese sculptor Jorio Vivarelli. Later, this is how he would remember the episode: "it was a Sunday morning and I had a job to deliver. I was alone and Stonorov demanded to come in. As I didn't feel authorized to allow him to do so, I closed the gate and he repeatedly insisted 'You don't know who I am.'"[3]
He considered himself Florentine and as he himself said: "The Le Corbusier way for intellect, The Wright way for instinct".
The second encounter between Stonorov and Vivarelli took place at the Wright exhibition in Florence. From that moment on, a great and long lasting friendship was formed between them. This friendship saw the completion of two splendid fountains – 'Tuscan Boys' and 'Adam & Eve' in the city of Philadelphia as well as the extraordinary sketch – 'Rites of Spring' which was the winner of The Kennedy Piazza international contest.
In order to build the 'Family Education Center' that was requested by the President of the United Auto Workers Union, Walter Reuther, the great 'Blake Lake' construction site was opened. Unfortunately, this union with the Pistoiese sculptor ceased to exist as soon as Stonorov died together with Walter Reuther on the 8th May 1970. They both died as a result of an air incident in which the cause was never clear.[4]
Stonorov's inclination towards an architect of social merit and the way in which he broadcast the ideas of the genius Frank Lloyd Wright during the years he spent visiting the Michelucci foundry, helped in influencing the work of the architect Giovanni Michelucci. Michelucci held both Wright and Vivarelli in high esteem. Writing in this last confidential letter, he confessed that: "I don't care for anything that I have done because I am discouraged that I practiced a profession that detracted me from serious social and civil commitment and instead made me an instrument of the 'system'."[5]
We could say that Michelucci having completed what is known as the 'chiesa-tenda' (the church-tent) on the 'Autostrada del Sole', seemed to have regretted that he hadn't been totally dedicated to a modern architecture that commits itself to accomplishing the needs of the urban community in always striving to improve the conditions of social living.

1) The original text is published in A. ALOFSIN (ed.) *Frank Lloyd Wright. Europe and Beyond*, Berkeley, Los Angeles-London 1999
2) op.cit.
3) Ferretti V. interview with Jorio Vivarelli, Vivarelli Foundation, Pistoia 1997.
4) C.S – The trade unionist Reuther died in an air incident over Lake Michigan, 'Corriere della sera' 11 May 1970 p.15
5) Giovanni Michelucci to Jorio Vivarelli, Fiesole, 26/10/1971 – unedited letter conserved in the archive at the Jorio Vivarelli Foundation, Pistoia.

L'architettura e il progetto accompagnarono sempre Frank Lloyd Wright attraverso la sua lunga vita, che si conclude a Phoenix Arizona , il 9 aprile 1959. Sfogliando le innumerevoli pagine che documentano – immagine dopo immagine- il percorso di progettualità di Wright, un fatto stupisce, lascia increduli: la creatività mai sopita, che anzi con gli anni abbraccia orizzonti sempre più ampi. Culmina, sul finire degli anni cinquanta, con il Guggenheim Museum di New York e con al Sinagoga di Elkins Park, Pennsylvania. Due templi: tempio per l'arte, tempio per la fede. Abbraccio globale che stringe insieme il mondo della spiritualità e quello dell'intelletto. In ogni opera, sin dall'inizio dell'attività del Maestro, è riflessa una ricerca costante: il dialogo tra spazio e architettura, nel quale la materia del costruito e l'elemento naturale entro cui l'architettura vive, intervengono quali fondamentali medium espressivi. In questo dialogo lo spazio architettonico si dilata. Non ha più un preciso limite, ma diventa un concetto metafisico nel quale fluiscono, in un unicum, il contenente e il contenuto, l'esterno e l'interno. Anche gli arredi che Wright disegna di volta in volta per le sue costruzioni, fanno parte di questo concetto globale dell'architettura. Erano pensati, infatti, per ambienti nei quali si inserivano in una osmosi totale di materiali, di dimensioni, in cui partecipavano allo spazio come componenti fondamentali dello stesso. Allora non si pensava ad una produzione di serie, ma grazie alla disponibilità concessa più avanti dagli eredi a Cassina, con la supervisione della Frank Lloyd Wright Foundation e le minuziose ricerche condotte da Filippo Alison, dal 1986 a tutt'oggi, un notevole gruppo di oggetti disegnati dal Maestro sono stati prodotti da Cassina per il mercato mondiale. La fatica di uno studio condotto con tanto appassionato rigore è tata condivisa dall'azienda per ripercorrere e conoscere – per poi diffonderne i significati mediante la distribuzione degli oggetti prodotti- le fasi salienti della ricerca e dell'evoluzione di F. L. Wright. Uno dopo l'altro, data dopo data, con le architetture, anche gli oggetti del Maestro segnano il lungo percorso di tutta una vita, che al di là delle motivazioni e delle finalità progettuali testimoniano l'ininterrotta ricerca di un mondo poetico senza confini di spazio. Cassina gode del diritto esclusivo di accesso a gli schizzi di piante, di sezioni e prospettive, custoditi negli archivi di Taliesin, sede della Frank Lloyd Wright Foundation, per elaborare gli studi necessari all'analisi ed alla selezione degli oggetti da poter offrire al mercato.

Architecture turned out to be the be-all and end -all of Frank Lloyd Wright's long life, right up to his death in Phoenix Arizona on 9th April 1959. Leafing through the innumerable pages that chronicle Wright's life of design – picture after picture- one is struck particularly by the fact that his creative impulse and fervour never slackened. As the years passed, his nets were cast even wider. The culmination came in the fifties, at the end of his life, with the Guggenheim museum in New York and the Elkins Park Synagogue, Pennsylvania. Two temples, one to art and one to religion. An all-embracing gesture, uniting the world of intellect and that of the spirit. In every one of this works, right from the very outset of the Master's career, there is an ever-present quest; dialogue between space and architecture in which the materials used in the construction and the natural environment within which the construction takes shape mingle as fundamental expressive media. It is within this dialogue that architectural space takes form. It no longer has any precise boundaries or limits but becomes a metaphysical concept within which the inside and the outside, the container and the contained, come together in one whole. And Wright's furniture, too, designed from time to time for his buildings, is part of this universal concept of architecture. It was created, indeed, for rooms in which there is total osmosis of materials and dimensions, and in which the furniture, too, contributed to the space as one of its fundamental concepts. There was no question of mass-production at the time of their conception, but thanks to the concessions granted later to Cassina by the heirs, under the supervision of the Frank Lloyd Wright Foundation, and thanks, too, to Filippo Alison's painstaking research, since 1986 a group of items designed by the Master have been produced by Cassina for international market. The exertions of such rigorously impassioned study were share by the production company in order to go over again and get to know the salient phases of Wright's research and evolution – and then to diffuse the findings the distribution of the articles produced. One after the other, the articles designed by the Master together with his architecture trace out the long path of a life's work, which above and beyond projectual motivations and ends testify to an uninterrupted research in a limitless poetical world. Cassina holds exclusive rights to sketches, plans, drawings and elevations in the archives of the Frank Lloyd Wright Foundation at Taliesin, to carry out studies necessary for the analysis and selection of the articles to be produced for the market.